CORPS DE FiLLE

Chronique subtile des tourments de l'adolescence, *Corps de fille* est surtout une formidable ode à la liberté : celle de choisir sa manière d'éprouver son corps, son rapport aux autres et à la sexualité.

Une liberté qui n'a pourtant rien de simple ni d'évident et qu'il est crucial de rappeler.

Graphisme de couverture et intérieur : Laurence Ningre
Mise en page : Marina Smid

ISSN : 2262-6042
ISBN : 978-2-36266-412-0
Loi n° 49-956 du 16 juillet 1949 sur les publications destinées à la jeunesse
Dépôt légal : février 2021

CORPS DE FILLE

Marie Lenne-Fouquet

Je presse le pas. Je sens la chaleur du début de l'été rougir mes joues. À moins que ce ne soit à cause de mon cœur qui bat si vite depuis que j'ai quitté la maison. Il tambourine contre ma poitrine, résonne dans tout mon corps, j'ai l'impression qu'on peut l'entendre à des kilomètres. J'essaie de m'empêcher de sourire parce que j'aurais l'air ridicule, à sourire comme ça, toute seule dans la rue. Pourtant, à mesure que je m'approche, je ne peux plus me retenir. Je sais déjà que ça va être bien. Que je vais aimer. Même si c'est la première fois. J'en suis sûre.

Ma mère n'est pas d'accord mais l'envie est trop forte, alors ça m'est bien égal.

Sans hésiter, je passe la porte.

– Agathe Marchieux ! Viens donc par là !

Du haut de son mètre quatre-vingt-cinq, Olga, cheveux roses et bras intégralement tatoués, la cinquantaine passée, me toise des pieds à la tête et ça me met un peu mal à l'aise.

– Bonjour Olga.

– Je suis bien contente de revoir une Marchieux dans les cordes. J'ai entraîné ton oncle Rémi un paquet d'années, tu sais.

– Je sais, oui.

– Qu'est-ce qu'il devient ?

Je me tasse un peu sur moi-même.

– Ça va, je crois. Je… Je ne l'ai pas vu depuis longtemps.

– Je me souviens bien de lui. Un gosse adorable. Il est parti du jour au lendemain, sans dire au revoir. Bien dommage qu'on ne l'ait pas revu dans le coin, j'adorais l'entraîner.

Je hausse les épaules. J'ai l'habitude de rester évasive, d'esquiver les questions sur la famille. Je prends la pose qui fonctionne à tous les coups : tête légèrement baissée, sourire timide entre les mèches de mes cheveux blonds. Et ça marche.

– Allez va, ça me regarde pas, reprend Olga, avant de me lancer, les yeux pleins de défi ; on le fait cet essai ?

Un sourire incontrôlable s'étale à nouveau sur mon visage.

– Avec plaisir !

Olga m'entraîne dans une petite salle à côté des vestiaires, pour me faire essayer des gants.

Dans le placard, il y en a de toutes les couleurs, suspendus par les lacets, appétissants et laqués comme des cerises.

Elle m'indique deux paires : une rouge et une bleue.

– Prends celle que tu veux.

– La bleue. Depuis toujours, c'est bleu.

Intriguée, Olga lève les sourcils.

– Quoi donc ?

– La couleur que je choisis pour tout : les pions de jeux de société, la peinture pour faire un dessin, les pochettes surprise, les classeurs… Pour tous les trucs qu'on te tend en permanence quand tu es môme en te demandant la couleur que tu veux, je disais bleu. Si j'avais de la chance, on ne me demandait rien de plus.

– Et si tu n'avais pas de chance ?

– J'avais le droit à « Ah bon ? Tu veux pas rose ? » Sous-entendu, comme les autres. Comme une fille, quoi.

Olga me regarde avec de la malice dans les yeux. Elle attrape la paire de gants bleus et m'aide à les enfiler sur mes mains bandées. C'est lourd, chaud. Je me sens vaguement ridicule.

– Viens, je vais te montrer comment te battre comme une fille !

Dans la salle, ça sent le cuir et la sueur. Au milieu de la pièce : un ring dont les cordes claquent sous les corps de deux garçons. Près d'eux, une femme boxe le vide : seule, yeux fermés, mains nues mais poings serrés, elle répète un ballet d'esquives et de coups portés. Au fond, s'alignent des sacs sur lesquels des jeunes de mon âge frappent en poussant des cris. Olga m'entraîne près d'eux et me fait essayer le sac. Elle me montre comment me positionner, m'invite à cogner, plus fort, encore plus fort. De temps en temps, elle arrête mon geste, secoue la tête et me corrige :

– Non. Ton corps, tes pieds comme ça, ton dos ici. Protège-toi. Boxer, c'est d'abord se protéger.

Après l'heure d'essai, je suis en nage, j'ai des douleurs dans les épaules et mes mains moites me font souffrir malgré les gants.

– Alors ? Tu t'inscris ?

Fourbue et trempée, les cheveux collés sur le front, je souffle :

– Et comment !

Olga hoche la tête, radieuse.

– Bienvenue, Agathe !

Je suis tellement heureuse que j'en oublie ma réserve habituelle :

– Je pourrais venir un peu, avant la rentrée ?

La coach me scrute un moment sans rien dire. Finalement, elle me sourit et ça fait plisser les petites rides au coin de ses yeux.

– Bien sûr, viens quand tu veux cet été. Tu as la même manière de bouger que ton oncle Rémi, c'est assez incroyable.

Je ne sais pas quoi répondre, ni que faire de mon corps. Je range une mèche derrière mon oreille en attendant qu'elle parle d'autre chose. Finalement, elle sort un trousseau de clés de sa poche. Elle en détache une et me la tend. Devant mon air étonné, elle ajoute :

– C'est la clé des vestiaires, côté cour. Tu peux venir entre midi et quatorze heures, tu seras tranquille, tu auras les sacs pour toi toute seule ou presque, c'est le moment où on entraîne les pros.

Touchée, je me contente de hocher la tête en guise de remerciement.

Je m'échappe rapidement vers les douches. Je tourne le robinet à fond et je laisse longtemps couler l'eau sur ma peau, sans bouger. Je ferme les yeux. Je profite de l'eau chaude parce qu'à la maison, les minutes sont comptées. Lorsque je sors, le bout de mes doigts est flétri comme de vieux pruneaux.

Jean, T-shirt, Converse, rapide coup de doigts dans les cheveux pour les attacher en queue de cheval et je suis dehors en deux minutes. Sur le chemin du retour, je trottine. Sofiane doit déjà m'attendre.

En effet, il est assis contre sa porte d'entrée.

– T'étais où ? Je t'attends depuis des heures !

– Arrête un peu, tu étais encore à ton cours de guitare il y a moins d'un quart d'heure.

Il relève son grand corps dégingandé et me sourit.

– Bon, OK, j'exagère peut-être un peu.

Depuis l'année dernière, Sofiane fait deux têtes de

plus que moi. Il n'est pas encore bien habitué à sa nou-velle carcasse.

– J'étais à la salle de boxe.

– Ah, tu t'es lancée alors, ça y est. Et?

– Et c'est génial. Olga est même d'accord pour que je vienne pendant les vacances.

– Super, félicitations!

Sofiane fait jouer la clé dans la serrure et s'engouffre dans la maison en jetant ses tongs dans l'entrée. Je me déchausse délicatement et referme la porte derrière nous. Dans cette petite rue, toutes les maisons ont la même architecture. Comme chez moi, de l'autre côté de la rue, le couloir dessert les différentes pièces : cuisine ouverte sur le salon à gauche, salle de bain au fond et trois petites chambres à droite.

Entre les ressemblances de nos maisons et notre habitude de vivre quasiment ensemble depuis la maternelle, je devrais me sentir comme chez moi chez Sofiane. Mais ça n'a jamais vraiment été le cas. Je m'y sens bien, mais je fais toujours attention à ne rien salir, ne rien laisser traîner, ne rien déranger. Ici, tout a une place, un ordre, un sens.

Sofiane virevolte dans la cuisine et sort deux verres et le jus d'orange. J'ouvre un placard et m'empare de la boîte à biscuits. On s'installe au bar, en se balançant sur les chaises hautes et moelleuses. On ouvre, un brin solennels, les deux enveloppes contenant nos bulletins trimestriels. Enfin le grand verdict. On a fait exprès, tout ce dernier trimestre d'obtenir plus ou moins les mêmes notes et de participer le même nombre de fois en cours. On a tenu scrupuleusement les comptes. On se lançait des défis : un jour, c'était à Sofiane de faire preuve d'un peu d'impertinence, un autre jour, c'était mon tour. On voulait voir. On voulait avoir les mêmes appréciations, finir l'année au diapason.

Sauf qu'en parcourant nos bulletins, pour moi, c'est la douche froide. Là où je «manque de rigueur» en mathématiques, Sofiane pourrait juste «expliciter davantage», quand son travail est «intelligent», le mien est «sérieux». Alors qu'on ne relève pas son manque de participation en cours d'anglais, on me dit «trop discrète». Je lâche les feuilles sur le bar, dépitée.

– Tu vois, c'est dégueulasse! Tu as clairement un bulletin plus reluisant que le mien, alors que j'ai une meilleure moyenne!

– Oui, mais tu es une fille, ma grande!

Sofiane m'offre un petit sourire désolé.

Il trouve cela anormal mais il ne semble pas vraiment révolté. Moi, j'ai du mal à digérer, ça me semble tellement injuste. J'ai parfois l'impression qu'on ne nous laisse rien passer, à nous, les filles. Personne ne dit rien, c'est tacite, ce n'est pas fait exprès, mais c'est là, tout le temps. Et ça me dégoûte.

Sofiane tente de changer de sujet pour me redonner le sourire. En avalant les cookies deux par deux, il me demande :

– Bon, on fait comment pour demain? Il ne reste plus que deux jours avant la fin des cours!

C'est notre nouveau rituel. Deux mois bientôt que nos stratégies pour aborder Jessa, en 3e C, occupent une petite heure de notre temps chaque jour. Sofiane en est raide dingue. Ça me fait mourir de rire.

– Sofiane, ce qui est sûr, c'est qu'il ne faut pas recommencer à l'attendre nonchalamment devant le self pour espérer manger en même temps qu'elle, on va se faire remarquer.

– Oui, c'est vrai. Mais l'autre jour c'était bien : j'étais juste en face d'elle !

– Avec trois tables entre vous, tout de même.

– Ce que tu es rabat-joie.

– Sinon, on la colle dans la queue, tu lui donnes un petit coup de plateau, tu dis pardon et tu engages la conversation.

– « Engager la conversation ? » Tu me vois, moi, Sofiane, quatorze ans, 4e A, engager une conversation, normal, avec une femme de 3e hyper cool, hyper intelligente et hyper belle ?

Je suis pliée de rire.

– Une « femme de 3e » !

– Et ça veut dire quoi « engager la conversation » ? Sur quel sujet ? « Oh tu as pris des petits suisses, excellent choix » ?

– OK, je reconnais, c'est pas passionnant.

Sofiane éclate de rire, la bouche ouverte, pleine de gâteau.

– T'as raison, oublions le self : tu ne sais pas fermer la bouche en mangeant, c'est pas le bon plan.

Il s'essuie les lèvres d'un revers de main et poursuit :

– Par contre, je crois qu'elle a Histoire dans la salle 23 juste après nous. À la fin du cours, il faudra qu'on marche super lentement. Tu feras le guet. Le truc parfait serait que je sorte de la salle au moment où elle entre, comme ça, je pourrais l'effleurer, sentir son parfum, peut-être même croiser son regard.

– Et peut-être qu'elle va renverser son sac par inadvertance et que, galamment, tu l'aideras à tout ramasser, puis, délicatement, vos mains se poseront sur le même cahier de maths. Alors vos regards se croiseront, vos bouches seront tellement proches et l'on sentira une vraie électricité amoureuse dans ce couloir. Jessa ne pourra que demander ton nom et si elle peut te revoir.

Sofiane regarde rêveusement le plafond, un sourire aux lèvres.

– Mais oui. Je veux ça. Absolument.

On pouffe à nouveau. On sait tous les deux que nos plans vont tomber à l'eau, comme d'habitude, que ce sera la cohue à la sortie du cours, que notre classe sortira plus tôt ou que les 3ᵉ ne seront pas dans le couloir en même temps que nous. On sait que Sofiane va traverser la salle en regardant le bout de ses semelles et que Jessa, en pleine discussion avec ses copains, n'imaginera pas une seule seconde qu'elle est le sujet de conversation préférée de deux 4e solitaires, tous les soirs depuis le 6 avril, date fatidique à laquelle Sofiane a eu un coup de foudre au CDI. Ce n'est que le troisième depuis le début de l'année, après tout. Il me fait rire, Sofiane, avec sa vision de l'amour sortie tout droit d'un film avec Hugh Grant.

Même si je suis sa première complice et une alliée sans faille, je ne partage pas son idée de l'amour, ni son goût pour les coups de foudre. Je n'ai encore jamais ressenti ce qu'il me décrit. Les guibolles en coton, le cœur et sa danse de Saint-Guy, je ne connais pas. Pour moi, tout cela n'est qu'un jeu sans grande importance.

Avant d'aller dans sa chambre, Sofiane effleure vaguement le bar du bout des doigts pour éparpiller les miettes. Je repasse derrière lui avec l'éponge et jette un dernier regard sur la cuisine pour m'assurer que tout est aussi propre que lorsqu'on est arrivés, je déteste quand la mère de Sofiane est déçue, puis je le rejoins dans son antre.

Sofiane a mis de la musique et s'est allongé en travers de son lit. Je fais de même. Le bras de Sofiane est collé au mien et je m'amuse du contraste : sa peau d'ébène contre ma peau diaphane, ses veines en relief qui parcourent son bras d'adolescent déjà grand et mes ruisseaux bleus de jeune fille qui se dessinent à peine sous mes poignets menus. Le yin et le yang. Depuis les bancs de la maternelle. Depuis mon premier malaise, le vrai, celui qui vous bourdonne aux oreilles et vous chauffe les joues. Je me souviens de tout. J'avais cinq ans. C'était à la soirée de Noël organisée par l'école. Quelques semaines avant, on avait dû choisir entre deux cadeaux : bijoux en plastique ou dînette pour les filles, voiture ou dînette pour les garçons. Le soir de la fête, tout le monde recevait son petit paquet. Je me rappelle : j'ai arraché le papier cadeau, assise en tailleur sur le lino orange. Puis, j'ai levé les yeux et j'ai eu honte. Ça a été comme une claque. On était que deux à avoir choisi la dînette : Sofiane et moi. Tous les autres garçons avaient des voitures. Toutes les autres filles avaient des bijoux. Sofiane et moi, à ce moment-là, on s'est ignorés parce qu'on refusait d'être différents ensemble. Je regardais les filles qui se pavanaient avec leur diadème tandis que moi, je n'avais rien sur la tête, juste un kit de dînette en plastique à cacher sous mon bras. La soirée m'avait paru longue. Et à Sofiane aussi. Tellement longue, qu'à la fin, petit pas après petit pas, on s'était retrouvés côte à côte sur le même banc à ras du sol. On n'avait pas envie de jouer, surtout pas à la dînette, alors on s'est mis à discuter. Et on ne s'est jamais arrêtés depuis. Bientôt dix ans que l'on est sur la même longueur d'ondes. Même si j'ai l'impression que les choses changent, un peu, en ce moment.

Sofiane soupire.

– Tu trouves pas que c'est quand même la honte, de n'être toujours que tous les deux ?

– Tu as envie de faire partie d'une bande ? De t'habiller pareil que tes potes, ne plus avoir d'opinion, te déplacer en troupeau, gêner tout le monde dans les couloirs du collège et rire hyper fort exprès ?

– Parfois, oui.

C'est vrai qu'on n'est toujours que tous les deux. On ne peut pas dire qu'on soit populaires au collège. On n'est pas non plus des pestiférés, on est juste à part, isolés. La plupart du temps, ça ne me gêne pas. Je sens que c'est plus difficile pour Sofiane. Ça me rend un peu jalouse, c'est comme si je ne lui suffisais pas. Je n'aime pas penser à ça.

La porte d'entrée grince. Je me lève d'un bond.

– Ta mère est là !

– Je crois, oui… C'est dingue, rentrer comme ça, comme chez elle…

Je lance un coussin sur Sofiane qui l'esquive dans un rire.

– On pourrait peut-être aller lui dire bonjour, imbécile.

Aïssatou fait des allers-retours, les bras chargés de sacs de courses. Elle ne nous demande pas d'aide. Elle a trop l'habitude de tout gérer seule.

De la cuisine, elle nous lance :

– Ça va les enfants ? Vous avez passé une bonne journée ?

On attrape quelques sacs dans le couloir et on la rejoint.

Aïssatou embrasse son fils en se hissant sur la pointe des pieds, puis s'approche de moi et replace une mèche de mes cheveux. C'est un geste doux. Un geste de mère. Ses yeux plongent dans les miens. Je ne dis rien, mais j'aime de moins en moins qu'on me touche sans me demander mon avis.

Pendant qu'on l'aide à ranger les courses dans les placards, Aïssatou demande des nouvelles du collège. Je m'étonne toujours qu'elle connaisse notre emploi du temps par cœur, se souvienne du nom de certains de nos camarades, des manies de nos profs, des dates des conseils de classe… Elle est débordée mais toujours là pour Sofiane et son frère, pour son mari, pour moi.

– Comment s'est passé votre dernier cours avec madame Lajus ? Vous allez la regretter !

J'acquiesce en déballant un sac.

– C'est clair. Elle est super cette prof, les heures passent vite avec elle.

– En tout cas, elle a transformé notre Sofiane. Sur ses conseils, il a déjà acheté sa pile de bouquins à lire pour les vacances. Je bénis cette femme !

Sofiane grogne, gêné.

– Attends, c'est pas dit que je les lise tous…

– Et monsieur « Chelou », c'est demain, son dernier cours, non ? Ne lui faites pas trop de misères !

Je regarde Sofiane et on explose de rire. Monsieur Lourche, notre prof de maths, est un sympathique bonhomme lunaire, qui ne se rend compte de rien pour le plus grand plaisir de la classe.

Aïssatou se retourne d'un seul coup pour nous faire face.

— Mais au fait… Et ces bulletins ? Ils devaient arriver aujourd'hui, il me semble… Ça donne quoi ? Et pas de mensonge parce que j'irai vérifier sur l'ordinateur, mon cher Sofiane !

On lui expose notre expérience et on lui montre nos bulletins. Je compte sur elle pour s'énerver autant que moi de l'injustice flagrante, mais Aïssatou se contente de hocher la tête :

— Cette nouvelle expérience vous aura bien fait travailler. Vous avez mérité vos vacances.

Je m'agace, stupéfaite qu'elle n'ait rien remarqué :

— Mais, Aïssatou, tu ne trouves pas ça injuste ? Regarde : ma moyenne est meilleure mais les appréciations sont moins bonnes que celles de Sofiane ! En gros, moi, je suis bien mignonne, et lui, il est intelligent !

Aïssatou hausse les épaules et reprend ses activités.

— C'est la vie, mon Agathe. Nous les femmes, on doit toujours être un peu moins drôles, un peu moins effrontées et un peu plus sérieuses que les hommes.

Elle sort le poulet Yassa qu'elle a préparé ce matin ou peut-être hier soir, et s'apprête à faire cuire le riz à la vapeur. Puis, elle vide le lave-vaisselle et rappelle à Sofiane de ranger ses affaires de sport qui traînent dans le garage. Depuis son retour, elle a gardé son sac en bandoulière et lorsqu'elle s'en rend compte, elle lève les yeux au ciel, l'ôte d'une main et attrape une manique de l'autre. Elle voit que je l'observe et me fait un clin d'œil pour me dérider :

– On doit aussi être capable de faire plusieurs choses en même temps. Après, tu sais, moi… J'aime bien faire les choses par moi-même et me rendre utile.

Je souris poliment, préférant ne pas répondre. Mais je ne suis pas d'accord avec elle, et je compte bien ne jamais l'être. Et puis, j'ai envie d'être drôle, effrontée et de faire une seule chose à la fois si ça me chante.

Comme tous les mercredis soir, je dîne chez Sofiane. Pour ses parents, c'est parce que ma mère finit trop tard ce jour-là, mais, pour moi, c'est aussi et surtout une parenthèse enchantée.

Chez Sofiane, on coupe la télé pendant les repas et on prend le temps de manger, de parler. J'aime bien, ça change de mes plateaux solitaires ou de nos repas sur le pouce avec ma mère.

Une fois le repas terminé, j'aide Aïssatou à débarrasser la table. Sofiane s'y met aussi. Je suis toujours un peu surprise de voir qu'Ilan se lève à chaque fois le dernier, posant les assiettes sur le lave-vaisselle comme s'il ne savait pas l'ouvrir.

Après le repas, Aïssatou m'embrasse sur le front.

– Merci Agathe. File maintenant, ta mère arrive bientôt et demain vous commencez à 8 heures. Ne traîne pas trop pour te coucher. Et n'oublie pas ta casquette, elle est tombée sous la patère dans l'entrée.

Alors que je la ramasse, Ilan me regarde et s'amuse :

– Tu as le même look que mon fils, dis donc. T'es pas des plus féminines, toi, hein ?

Ce n'est pas méchant. Ce n'est pas dit pour être vexant ni blessant. Pourtant ça me brûle comme une décharge électrique. Je rétorque :

– Je suis un mec parce que je mets un jean et une casquette ?

Ilan ne s'attendait pas à cette répartie, moi qui suis plutôt du genre discret d'habitude.

Il siffle entre ses dents.

– Eh ben, ça promet, l'adolescence. Elle mord, ta copine ?

Sofiane me pousse doucement vers la porte.

– Laisse tomber, P'pa, elle a raison !

J'entends Aïssatou ajouter :

– Arrête Ilan, c'est normal de cacher son corps à son âge.

Sofiane se penche à mon oreille en m'ouvrant la porte :

– Agathe, comment tu l'as mouché, mon père ! Je suis impressionné !

Je hausse les épaules et traverse la rue. J'en ai marre de ces remarques récurrentes depuis l'entrée au collège. Des remarques d'Ilan, d'Aïssatou, de ma mère parfois, d'inconnus même. J'ai l'impression qu'on me regarde, qu'on épie le moindre de mes faits et gestes. Je dois « surveiller mon langage » ou « faire attention à la façon dont je m'habille ». Faire attention à quoi, au juste ?

On s'intéresse à mon corps comme à une expérience dont on prendrait les relevés régulièrement. Et quoique je fasse, ça ne va jamais : trop court, trop long, trop serré, trop large, trop voyant, trop sombre. Trop pénible !

La maison est silencieuse. Sans allumer la lumière, je me glisse dans ma chambre, mon repaire, ma caverne, et je m'allonge sur mon lit. Machinalement, je tripote mon lapin en peluche bleu tout râpé. Sur mon oreiller, le téléphone sonne : ma mère.

– Agathe ?

– Non, c'est sa secrétaire. Vous avez un message ?

– Salut ma grande. Écoute, je suis désolée, mais je dois boucler un dossier pour demain. Je reste au bureau quelques heures encore, Pauline me ramènera.

– Quoi ? Tu restes travailler ? Mais c'est incroyable.

– Arrête un peu avec ton ironie, tu veux. Si tu crois que ça m'amuse ! J'ai des emprunts à rembourser, je te rappelle ! Te couche pas tard, OK ?

– Oui M'man.

– Bonne nuit, ma chérie. À demain.

– À demain.

Décidément, ce n'est pas ma soirée. Je raccroche, encore plus maussade qu'avant. C'est comme ça un soir sur deux. À cause de son travail, ma mère a loupé toutes mes fêtes d'école, n'a jamais pu m'organiser de goûter d'anniversaire, n'a jamais participé à la moindre manifestation de ma vie d'écolière. Elle connaît à peine Sofiane. Il n'est pas une personne à part entière pour elle, il est mon baby-sitter. Qu'Aïssatou soit ma mère de substitution ne semble jamais l'avoir gênée, ça lui a plutôt sauvé la mise : on s'occupe de moi gratuitement. Parfois j'ai l'impression d'être de trop dans sa vie.

Elle me répète qu'elle fait tout ça pour moi. Tout ça, quoi ? Ne pas me voir et pourtant avoir du mal à boucler les fins de mois ? Si je suis un poids pour elle, je préfère m'en aller.

Je rumine à voix haute. Je suis tellement en colère que j'ai besoin de bouger. J'attrape mon sac à dos, y entasse rageusement quelques vêtements, cours à la cuisine. Je fouille dans les placards à la recherche de choses que je pourrais emporter. Je fais claquer les portes mais personne n'est là pour entendre ma colère et ma peine.

Sur le tableau à craie de la cuisine, je trace en lettres rageuses : « Je m'en vais. Ne me cherche pas. » Le cœur battant, je sors dans la nuit. J'aimerais qu'elle soit noir charbon et glaciale, mais c'est une douce soirée de juin qui laisse encore la lumière se prélasser mollement sur les choses. Je commence à descendre la rue, mes pas claquent sur le trottoir, je parle tout haut pour faire taire les cigales des champs alentour. Parvenue à l'entrée de la ville, je m'arrête. Et me ravise.

Je dois me rendre à l'évidence : je ne peux pas. Je suis incapable de partir seule, marcher des heures, prendre des bus, des trains, me cacher. Et puis pour aller où ?

J'ai trop peur et trop de questions. Sofiane me manquerait. Et ma chambre, mon univers.

Je ne peux pas. Je fais demi-tour en me trouvant bien pathétique. Je peste en moi-même. Je voudrais vraiment pouvoir faire ça. Être capable de tout envoyer valdinguer, partir en road trip, vivre une aventure. Vivre comme dans un roman, un film, une pièce de théâtre. Au lieu de ça, je rentre toute penaude et range à sa place ce que j'avais jeté dans le sac avec grandiloquence. Et je n'oublie pas d'essuyer mes pieds sur le paillasson parce que l'aspirateur, en général, c'est moi qui le passe.

Je commence à les connaître, ces retours ridicules. C'est ma troisième non-fugue depuis janvier. Un coup de chiffon sur le tableau et mon adieu piquant se transforme en poussière blanche inoffensive et silencieuse.

Je me brosse les dents comme une petite fille sage, tire les volets, dépose la poubelle devant la maison en veillant à bien placer les poignées vers la rue, je ferme la porte et retire les clés de la serrure, puis vérifie que la lumière est bien éteinte partout. Je me couche enfin, un peu blasée.

– Bonne nuit, Agathe. Bonne nuit, lapin.

Le lendemain matin, c'est l'odeur des crêpes qui me réveille. Je sors de ma chambre, pieds nus sur le carrelage froid, et je regarde ma mère depuis le seuil de la cuisine.

Elle est de dos, en robe de chambre, les cheveux attachés à la hâte, des mèches lui balaient la nuque. Elle m'entend et se retourne, la poêle à la main. Elle n'est pas maquillée, ni juchée sur des talons. Elle est belle comme ça. Elle est si jeune après tout. Elle me regarde avec son petit sourire que je connais bien, celui qui demande pardon.

– Une crêpe, ma puce ?

– D'accord.

On s'installe à table, toutes les deux.

Sur ma crêpe, elle dépose la confiture de manière à dessiner un personnage.

– C'est qui ?

– La petite sirène.

– Elle est où, sa queue ?

– On la lui a mangée.

– Ah. Et ses longs cheveux ?

– Elle en avait ras le bol.

– Et sa poitrine ?

– Une légende.

– Ah oui, on la reconnaît bien.

– Merci.

On pouffe. L'humour entre nous, malgré tout.

Ma mère me caresse les cheveux. Je donne un petit coup d'épaule pour indiquer que je n'aime pas ça. Elle ôte sa main.

– Désolée, Agathe. Je ne suis pas assez présente pour toi, mais je fais ce que je peux.

– Je sais M'man.

Je ne la regarde pas. Je devrais peut-être la prendre dans mes bras, lui dire que je l'aime, aussi, ou un truc comme ça. Mais il y a cette pudeur qui me bloque la gorge et puis la peur. D'être déçue, encore et encore. Enfant, j'y croyais vraiment, à chaque fois.

– Je file à la douche. Merci pour les crêpes.

Lorsque je m'apprête à sortir, ma mère m'arrête dans le couloir.

– Tu vas au collège habillée comme ça ?

Je jette un œil à mon pantalon large et à mon grand T-shirt.

– Euh… J'en ai bien l'impression.

– Tu veux pas essayer le petit chemisier que Pauline t'a donné ?

Tous les poils se hérissent sur ma peau. Chaque mot de cette phrase m'irrite.

– Tu m'as déjà vue avec un chemisier ?

– Non, justement…

– Voilà. Non seulement, je ne mets pas de chemisier, mais encore moins ceux dont la fille parfaite de ta collègue ne veut plus. J'ai un minimum d'ego.

Ma mère soupire.

– Tu exagères, Agathe ! Il est trop petit pour elle, et personne ne le saura, vous n'êtes pas dans le même collège !

Elle s'approche de moi et tente de remettre de l'ordre dans mes cheveux. Je recule vivement. Cette manie de me toucher comme si j'étais un objet, une chose qui lui appartient, je ne le supporte plus.

Elle lève les yeux au ciel, résignée.

– Bonne journée, ma chérie. À ce soir.

Je me précipite dehors et grimace. Il fait déjà moite. Cette torpeur du sud, je l'apprécie de moins en moins. On est entré dans la saison trop chaude, les touristes commencent à débarquer par bus entiers dans le centre de notre petite ville tranquille. Je ne comprends pas ce qu'ils recherchent. Moi, je n'en peux plus, du grincement sec des cigales, de la langueur de la vie d'ici, de la sieste des vieillards, des gestes qu'on mesure, de la nuque en sueur et des doigts gonflés. Cette saison est à l'opposé de mes envies du moment : j'aimerais bouger vite, courir plus, avoir frais. Ces paysages assoiffés que je connais par cœur m'oppressent avec leur ocre et leur rouille.

Lorsque j'arrive devant le collège, la poussière s'est déjà collée à mes cheveux et je dois faire ma tête des mauvais jours car les quelques copains que je croise se contentent d'un hochement de tête vers moi, sans m'approcher.

Sofiane me tombe littéralement dessus.

Je manque de vaciller sous le choc.

– Agathe ! J'ai parlé à Jessa ! J'ai parlé à Jessa et surtout, Jessa m'a parlé ! Une vraie conversation, je veux dire, avec « On se revoit » et tout ! Avec des bises !

– Salut Sofiane. Merci, oui, ça va bien.

– Pardon. Salut Agathe.

– Et donc, vas-y, remets tous les mots en ordre.

Sofiane me saisit par les épaules et me force à m'asseoir sur le petit muret de la cour.

– Je suis arrivé plus tôt parce que j'avais rendez-vous avec Julian, tu sais, qui fait de la guitare avec moi et avec qui je fais du basket de temps en temps, il devait me prêter des partitions pour les vacances. Je l'aperçois et là… Il était avec Jessa ! J'ai pris mon courage à douze mille mains et j'ai avancé quand même. C'est bien, hein ?

Je lui tapote le genou.

– Tu deviens grand, jeune padawan.

– Je sais ! Et donc, Julian me montre les partitions, je commence machinalement à chantonner l'air en regardant les notes. Et ça a impressionné Jessa. Si, je te jure ! Elle me l'a dit comme ça : « C'est impressionnant, tu sais chanter un air juste en regardant des notes ? » Et là, j'ai dit « Oui », et là, elle m'a dit « J'aimerais bien t'entendre avec ta guitare aussi. », et là, Julian a dit « Bon, salut les jeunes, je sens que je suis de trop ! », et là, moi, j'étais bien, tu vois, à l'aise, et je parlais tranquillement, normal…

Sofiane parle si vite et avec tellement de gestes parasites que j'ai du mal à suivre.

– Pas comme ça, j'espère.

– Ahah, super drôle ! Non, normal, je te dis, et elle me dit « T'es là samedi, le premier jour des vacances ? On pourrait se retrouver au parc, tu apporteras ta guitare. » Et moi, j'ai dit oui, Agathe, j'ai dit « Oui, OK, ça marche. » Et j'étais à la cool, bon, peut-être un peu tendu quand même, et elle m'a dit « À samedi. » Et elle m'a fait deux bises. Deux bises, là, comme ça, et peut-être que je suis parano, mais c'était deux bises hyper près de la bouche. Tu vois, les coins quoi. Et elle sent bon. Ses cheveux sentent bon aussi. Et elle a des petites taches de rousseur. Et elle a l'air tellement chouette. Et drôle. Je l'ai senti. Et je la vois samedi. Jessa. J'ai un rencard. Agathe, j'ai un rencard avec Jessa !

Il s'arrête, à bout de souffle. Ses yeux brillent. Ça me touche et ça me rend presque triste parce qu'il ne pourra même pas voir à quel point j'avais envie d'être en colère contre l'univers entier aujourd'hui.

– C'est bien, Sofiane. Je suis contente pour toi. Tu as assuré, ce n'est même pas drôle. Samedi, je veux un rapport détaillé dès ton retour. Tu ne t'arrêtes pas en chemin, tu ramènes direct tes fesses chez moi et tu me racontes.

– Évidemment !

Sofiane s'apprête à poser son bras autour de mes épaules, mais arrête son geste et se contente de me tapoter le dos. Des filles, à l'autre bout de la cour, nous regardent en coin. Mon ami l'ignore mais, s'il voulait, il pourrait obtenir un rencard avec tout un tas d'autres filles du collège. Je ne le lui ai jamais dit. Tant que je le peux, je le garde pour moi.

★   ★   ★

Au cours de la semaine suivante, la première des vacances, la meilleure, je ne parviens pas à parler à Sofiane. Pour la première fois de nos vies, on ne suit pas le même rythme. On se voit à peine, depuis son premier rendez-vous avec Jessa. Pourtant, j'ai envie de me plaindre de la chaleur, je voudrais qu'on regarde des films qu'on a déjà vus dix fois, qu'on dise les répliques en même temps que les acteurs, qu'on se traîne en vélo jusqu'à la vieille ville, je voudrais rire pour un rien comme on sait si bien le faire, j'ai envie qu'on soit Agathe et Sofiane, comme d'habitude, comme chaque été.

L'idée d'aller à la rivière s'invite même dans ma tête. Je ressens presque le besoin de faire des barrages comme quand on était gamins. Même si depuis l'été du CM2, on ne trouve plus ça amusant. Je me souviens d'un après-midi de juillet. On avait tout préparé, ramassé les bonnes branches et les bonnes feuilles dans la forêt. On avait apporté nos couteaux suisses, un sac à dos rempli de ficelle, de galets, d'outils. On commençait à mettre en place l'installation sur la rivière, comme d'habitude, lorsque l'on s'est mis à s'ennuyer. Comme ça, d'un coup, comme si notre jeu n'avait plus de sens. Sous le soleil qui nous attaquait les épaules, on s'était contentés de faire quelques ricochets, assis sur la berge, pieds nus dans l'eau. Et on s'était mis à parler. Après ça, on n'est quasiment plus retournés à la rivière, parce que discuter, on peut le faire dans nos chambres, nos jardins, nos canapés.

Depuis samedi, Sofiane n'est plus tout à fait Sofiane. Il me raconte en boucle son après-midi avec Jessa, et comment c'était bien, et ce qu'ils se sont dit. Il me décrit la manière dont Jessa rit et son tic de jouer avec le bout de sa chaussure dès qu'elle est assise. Il me parle de son cœur qui court le marathon quand il la voit arriver, du sourire de Jessa, son désir de tout connaître d'elle, tout vivre avec elle. Sofiane est amoureux, c'est sa première fois et ce n'est pas passionnant. Enfin, pour moi, du moins. J'aimerais qu'il me demande comment je vais, ce que je pense et, surtout, que l'on parle d'autre chose que d'amour et de Jessa.

Quand je suis avec lui, il n'est pas avec moi. Il est Messenger, il est l'attente, il est la petite bulle de son téléphone, qu'il ne lâche plus. Il me répond les yeux dans le vague et me demande « Tu m'as dit quoi ? », toutes les cinq minutes.

Sofiane attend, tout le temps. Sofiane devient une femme de marin, épiant l'océan sans fin des réseaux sociaux. Sofiane vérifie : onze minutes que Jessa est connectée et elle ne lui a pas encore écrit. Sofiane est sourd lors de ces silences. Les mots qu'il attend font trop de bruit dans sa tête. Il me demande si ce qu'il a écrit était bien. Il se félicite d'un point d'exclamation ou s'en veut d'un mauvais choix de smiley. Les vieux qui nous bassinent avec leur «C'était mieux avant.» et «On était plus amoureux. Vos réseaux sociaux et le numérique, ça n'a rien à voir avec les lettres qu'on s'envoyait!» et blablabla. Tu parles! Il suffit de regarder Sofiane attendre, éclairé par l'écran de son smartphone. On n'attend peut-être plus le facteur, mais on attend la notification, la bulle Messenger, le SMS. Et on aime tout pareil. Et parfois les réseaux sociaux se taisent, comme une claque qui fait aussi mal que la lettre sans réponse.

— Agathe, Jessa a vu mon message et elle n'a toujours pas répondu. En plus, elle n'a pas aimé ma photo sur Instagram. Tu crois que j'ai fait un truc de travers? Tu crois que ça remet en cause notre relation? Elle réfléchit?

— Tu l'as postée il y a moins d'une demi-heure, cette photo. Elle est sûrement occupée, je sais pas moi, elle fait un truc.

– Mais quoi ? On fait quoi un jeudi de vacances, à 11 heures 30 ?

– J'en sais rien moi ! Elle prend sa douche, elle lit un bouquin, elle parle à quelqu'un…

– À qui ?

– Sofiane !

– OK, OK, je me calme.

– Ouf, merci ! Bon, je disais, t'as pensé quoi de la BD que je t'ai prêtée ? *Gousse et Gigot* ?

– Pardon… Tu m'as dit quoi ?

– Je te disais que Jessa t'avait sûrement largué sans même que tu le saches.

J'ai juste le temps de rattraper le coussin que Sofiane me lance. Un *gling* vient interrompre notre bagarre.

– C'est Jessa ! Elle a liké !

– Mais tellement super. Allez, je file, moi.

– OK, salut Agathe. Tu crois que je peux l'appeler ou je dois encore attendre quelques minutes ?

Je sors sans prendre la peine de lui répondre.

Je ne sais pas quoi faire de ma solitude toute nouvelle. Alors, à midi, tous les jours depuis lundi, j'ai pris l'habitude de passer une heure au club de boxe. C'est un moment creux, je ne dérange personne comme me l'a dit Olga, et, parfois, elle m'accorde quelques minutes pour m'expliquer comment bien me placer, comment porter les coups et surtout comment me protéger. Je ressors toujours de ces séances épuisée et cassée. Vivante.

– Pas mal pour une débutante. On dirait bien que tu as le truc.

– Merci, Olga. Je vais prendre ma douche.

Je me dépêche pour ne pas croiser son regard.

Je ne suis pas à l'aise avec les compliments, je ne sais pas comment les recevoir, s'il faut sourire franchement, ou ce qu'il faut faire de mes mains. N'empêche que ça me touche quand même. On me dit rarement que je suis douée pour quelque chose : je n'ai pas de don particulier, comme Sofiane pour la musique. Je pensais que j'allais vivre comme ça, moyenne dans plein de choses et inapte dans encore plus. Mais finalement, peut-être pas. Peut-être bien que j'ai quelque chose à moi. Est-ce que j'aime la boxe parce que ça me semble simple et que j'ai une certaine facilité à faire ces mouvements-là ? Ou est-ce parce que ça me semble simple que ça me plaît ?

Peu importe, après tout. Quand je boxe, je me pose moins de questions et ça me fait du bien.

Je sors de la salle plus légère et j'apprécie presque le soleil qui me chauffe le visage.

Aujourd'hui, Sofiane vient chez moi prendre le petit déjeuner. Ma maison n'est pas aussi impeccable et douillette que la sienne et ça me gêne toujours un peu. J'essaie de compenser en couvrant la table de tout un tas de choses à manger : céréales, tartines, fruits, gâteaux secs, biscottes, confiture, miel, beurre. J'en suis encore à chercher le pain d'épices quand je m'étonne du silence de Sofiane derrière sa montagne de nourriture.

Il fait tourner sa cuillère dans son bol de céréales. Je vois ses cils recourbés papillonner. Il veut me dire quelque chose. Un truc qu'il appréhende, soit parce que ça ne va pas me plaire, soit parce que ça va me rendre triste. Il me connaît aussi bien que je le connais et il cherche la bonne formule pour faire le moins de dégâts possible.

Je m'assieds face à lui.

– Vas-y Sofiane, balance.

Il me fait un demi-sourire, du genre irrésistible.

– Je voulais te demander un truc… Est-ce que ça te dérange si Jessa se joint à nous, aujourd'hui ?

Je fais un drôle de petit bruit très aigu, trop aigu pour être naturel.

– C'était ça, ta grande demande ? Je pensais que tu allais m'annoncer un truc grave. Bien sûr, pas de problème. Aucun souci. Plus on est de fous plus on rit, non ?

Sofiane soupire de soulagement avant de plonger avidement la cuillère dans son bol.

– Merci. T'es la meilleure. Tu verras, tu vas l'adorer, c'est obligé.

Je ne sais pas si Sofiane a trouvé mon bruit aigu, ma triple réponse et l'utilisation d'un vieux proverbe bidon suspects ou étranges. Je ne saurais dire s'il a perçu ma surprise, peut-être ma déception.

Ma mère rentre déjeuner en coup de vent avant de repartir travailler. Un déjeuner à moitié debout, les sourcils froncés et le portable calé entre l'oreille et l'épaule. C'est encore pire quand elle fait ça. Elle essaie de donner le change, elle suppose qu'être là physiquement me donnera l'impression qu'elle passe du temps avec moi, mais elle me parle à peine, écoute à peine, envoie des mails et répond à sa patronne. Je suis presque soulagée lorsqu'elle s'en va.

Je traîne dans la maison sans pouvoir m'empêcher de jeter un œil à la fenêtre toutes les trente secondes, guettant l'arrivée de Jessa comme on traque une bête sauvage. La voilà. Elle s'arrête devant chez Sofiane qui bouquinait (ou faisait semblant) dans le hamac et qui lui fait signe d'entrer.

Il va au-devant d'elle et l'accueille en la serrant dans ses bras. Je ressens une sorte de gêne, à les regarder d'ici, tapie comme une agente secrète. Sofiane a le droit d'avoir des expériences que je ne partage pas. Je suis franchement ridicule, planquée derrière mon rideau.

Je me décolle enfin de la fenêtre et me décide à traverser la rue.

– Salut.

– Salut Agathe. Sofiane n'arrête pas de me parler de toi, j'avais hâte de te rencontrer, vraiment.

Jessa me dit ça d'emblée, en souriant de tout son appareil dentaire. Elle ne me fait pas la bise, elle ne me regarde pas de la tête aux pieds. Je ne sais pas si Sofiane l'a prévenue de mon aversion des contacts physiques avec les inconnus, mais qu'elle ait été avertie ou non, son tact fait que je l'apprécie immédiatement. Sofiane a raison : cette fille a l'air vraiment chouette.

On décide de regarder *Stranger Things* chez Sofiane, il fait trop chaud pour rester à l'extérieur.

Sur le canapé, Sofiane tente de donner la main à Jessa. Je la vois le repousser doucement. Je sais pourquoi elle le fait. Mais Sofiane, lui, ne comprend pas. Je le remarque à son sourire crispé, c'est comme s'il avait reçu une gifle. Et comme toujours, avec Sofiane, il ne sait pas abandonner, il essaie à nouveau de lui prendre la main.

– Sofiane, on ne va pas se donner la main alors qu'Agathe est là, elle aurait l'air de tenir la chandelle. Ce n'est pas contre toi, c'est juste… Je sais pas… Par respect.

Comment fait cette fille pour que tout semble si évident, si simple ? Sofiane ne sait plus où se mettre.

– Oui… Oui bien sûr, t'as raison. Pardon, Agathe.

– T'inquiète pas, je m'en fous.

Ce n'est pas vrai, je ne m'en fous pas et je suis tellement reconnaissante envers Jessa qui prend même le soin de changer de conversation pendant le générique :

— Julian organise une soirée, lundi. Ça vous dit de venir ? Agathe, si tu veux, tu peux venir à la maison avant, je te prêterai des fringues.

Sofiane est aux anges.

— J'ai des fringues, merci. Et pas sûre d'avoir envie d'aller dans ce genre de soirée.

— Allez Agathe, pour une fois, en plus c'est les vacances, geint Sofiane. Et puis on pourra discuter avec d'autres personnes, ça changera un peu.

— Je ne voulais pas dire que tu n'avais pas de fringues, continue Jessa, gênée ; pas du tout, c'est simplement que… Dans ce genre de soirée vaut mieux entrer dans le moule. Tu vois ce que je veux dire ?

Pas tellement, non. Mais je ne dis rien. Un nouvel épisode commence et me sauve la mise. Je ne sais pas quoi penser de cette discussion. Encore cette bataille en moi : d'un côté, j'ai envie de m'enfermer, de me couper du monde, de ne pas suivre le groupe, de ne pas prendre de risques, mais d'un autre, quelque chose au fond de moi a envie d'essayer d'appartenir à la masse pour une fois,

de faire partie de quelque chose, de tenter d'autres vêtements, une autre coiffure, pour un soir, juste pour voir,
pour comprendre ce que ça fait. Après deux épisodes, on
arrête la télé, un peu abrutis par les bruits trop forts dans
la maison trop sombre.

Jessa, malgré les deux heures qui viennent de s'écou-
ler, ne lâche pas l'affaire.

– Alors, Agathe ?

Sofiane n'y est plus, il ne sait pas de quoi elle parle.

– Alors quoi ? demande-t-il, ahuri.

Moi, je comprends. Je lui réponds :

– Oui, bon. OK. Tu habites où ?

Jessa est heureuse, ça se voit, elle a le sourire des
victorieux.

– Dans le centre-ville, 42 rue George Sand, la maison
en face de la poste, avec les volets gris. Viens en fin
d'après-midi, si tu veux.

– D'accord.

Sofiane raccroche enfin les wagons et semble
transporté.

– Je passerai vous chercher les filles, on ira ensemble !

Après ça je les laisse parler, je ne les écoute plus. Je
n'entends que leur « c'est comme moi » et leurs glous-

sements de loin en loin. Je m'ennuie un peu et décide de rentrer.

– Je vous laisse, les amoureux. Sofiane, demain, ça te dit d'aller à la rivière ?

Mon ami se tasse et ses yeux me fuient.

– Euh, je sais pas trop Agathe, j'ai prévu… Avec Jessa, on voulait peut-être aller au cinéma, ça te dirait ?

– Non, merci, je dois faire attention à pas manger tout mon argent de poche dès le début des vacances. Sofiane, quand tu veux, tu m'appelles ou tu traverses la rue, tu sais. Jessa, à lundi alors.

– Carrément Agathe, à lundi !

Je ne rentre pas immédiatement. Je vais d'abord à la salle de boxe. J'ai besoin de ne plus penser. J'ai besoin de mettre en mouvement mes bras et mes jambes, de leur donner un objectif. Depuis quelque temps, j'ai l'impression que mon corps n'est jamais rassasié d'action. Je cours malgré la torpeur de cette fin d'après-midi et la sueur qui glisse entre mes omoplates. Lorsque j'arrive dans les vestiaires, je me contorsionne sous le robinet et laisse l'eau couler dans mon cou. Puis je m'étends quelques instants sur un banc, le temps de récupérer.

Lorsque mon souffle a repris son rythme habituel et inaudible, je vais ouvrir le placard des gants. En haut à gauche, au-dessus du petit crochet où est attachée la paire bleu foncé, une étiquette toute neuve, toute blanche, est soigneusement collée : Agathe M.

Dans ma tête, je remercie Olga. Cette étiquette me donne une énergie nouvelle. Je demande de l'aide à un entraîneur pour qu'il me montre à nouveau comment bien bander mes mains et enfiler mes gants, et me dirige au petit trot vers un sac solitaire. À nous deux mon gars.

J'aime de plus en plus cette lourdeur contre mon poing fermé. Ça résiste et moi, je cogne, je résiste aussi. Je frappe et danse pendant près d'une heure.

Avant d'aller prendre ma douche, je m'adosse un peu le long du mur et j'observe. J'écoute les respirations rauques, le claquement rythmé des pieds qui dansent sur le sol. Personne ne fait attention à moi, ici. Tout le monde est trop occupé à porter sa rage, à parer des coups, à se défendre, à attaquer. Mes yeux dérivent vers le dernier ring, celui des habitués. Lentement, je me dirige vers les cordes. Deux jeunes hommes s'entraînent. Concentrés sur leur match, tous leurs muscles sont bandés, prêts à s'étirer ou se contracter au moindre mouvement de l'adversaire. Derrière leurs gants usés, ils ne se quittent pas des yeux, comme si un fil invisible les reliait. Quand l'un tend le bras, l'autre l'esquive, d'un pas de danse, d'un mouvement de jambes élégant, gracieux, presque gracile. Je ne sais pas si c'est leur ballet, pas glissés, pas chassés, la musique des râles et des coups qui touchent, leurs peaux, la sueur qui serpente, mais quelque chose m'envahit. Une espèce de chaleur. Une envie impérieuse de toucher la nuque musclée de ces garçons, de voir ce que ça fait. C'est la première fois que j'ai envie de toucher un corps, une peau, des cheveux inconnus, de respirer l'odeur de quelqu'un comme un animal.

Je baisse les yeux, gênée, comme si toute la salle pouvait lire dans mes pensées, et me précipite dans les vestiaires. C'est tellement nouveau, cette envie furieuse de tout essayer.

Chez moi, la fenêtre du salon est grande ouverte, ce qui signifie que ma mère est rentrée du travail. Je suis contente parce qu'on va peut-être pouvoir se parler toutes les deux, étalées chacune à un coin du canapé, comme on ne l'a pas fait depuis longtemps. Peut-être que j'oserai lui poser des questions sur mon oncle Rémi, lui demander pourquoi on ne le voit pas et pourquoi elle ne m'en parle jamais. Je pense souvent à lui depuis que j'ai commencé la boxe, depuis qu'Olga me parle de nos ressemblances.

Je me fige en passant le seuil du salon. Ma mère n'est pas seule. Autour de la table basse, transformée en champ de bataille de dossiers et tasses à café, se tiennent un homme, ordinateur portable sur les genoux, et Pauline, la collègue-amie de ma mère que je n'apprécie pas. Que je déteste, même, pour être honnête.

– Salut Agathe, tu dis bonjour ?

Comme si j'avais cinq ans.

– Bonjour.

– Agathe, sois polie s'il te plaît.

Là, il faut comprendre « fais une bise ». C'est ça, être poli quand on est une gamine : bisouiller des peaux d'inconnus, toucher la dame, toucher le monsieur. J'ai toujours eu horreur de ça. Et je ne suis plus vraiment une enfant.

L'homme se lève et s'approche.

– Bonjour jeune fille, moi, c'est Pierre.

Il pose une main calleuse sur mon épaule nue et je frissonne en regrettant d'avoir choisi ce T-shirt sans manches. Il se penche vers moi pour m'embrasser, il sent le tabac froid et le café fort. Je ne bouge pas. Il colle ses lèvres contre ma joue.

– Eh ben, t'es un peu sauvage toi, hein, dit-il en me faisant un clin d'œil.

Je me recule.

– Nan, mais je n'aime pas tellement qu'on me touche.

Pierre part dans un rire gras et répugnant. Ma mère rougit.

– Agathe…

Pauline s'approche à son tour, ondulante comme une couleuvre. Elle me tend sa main manucurée :

– Alors on fait quoi, Agathe, on se serre la main ?

Le ton est ironique, presque acerbe. Pauline est de ces êtres qui pensent toujours avoir raison. Sur tout. Dans d'autres vies, elle a dû être médecin, esthéticienne, diététicienne, dentiste, coiffeuse, athlète, palefrenière… car c'est bien simple, elle sait tout. Et elle adore donner des conseils. Surtout à ma mère, surtout sur la meilleure façon d'éduquer les enfants. Comparer aussi, elle adore. Aubaine : sa fille a mon âge. Et Pénélope est parfaite, évidemment. Elle porte des chemisiers cintrés et des ballerines élégantes, ne traîne avec aucun garçon, dit bonjour à la dame et merci au monsieur, mange ses légumes et pratique la danse classique. Bien sûr, Pauline est aussi la bonté même. Elle a à cœur d'aider ma mère, sa pauvre amie qui tente d'élever sa fille toute seule. Alors elle se mêle toujours de ce qui ne la regarde pas. Elle nous donne les fringues dont sa fille ne veut plus, prête à ma mère des CD ridicules de relaxation par chants d'oiseaux, et s'est même permis, un jour, de faire une remarque sur ma relation avec Sofiane. Je ne l'ai toujours pas digéré.

Avec froideur, j'entre dans son jeu.

– Bonjour Pauline. Oui, en effet, je préfère.

Je lui serre la main le plus fermement possible, enserrant ses doigts mous.

– Bonjour mademoiselle. Tu ne changes pas tellement Agathe. Tu as encore ta mignonne bouille de petite fille.

Elle se tourne vers ma mère et poursuit, comme si je n'étais plus là :

– Ma Pénélope commence à avoir un corps de femme.

Elle sait bien qu'elle me vexe. Me comparer à une petite fille, me mettre en compétition avec Pénélope, comme s'il y avait une vainqueure et une vaincue.

J'aperçois l'œil anxieux de ma mère. Je ravale ma répartie.

– Vous lui passerez le bonjour.

– Avec plaisir.

Pauline me toise et donne le coup de grâce.

– Je pense que je vais faire un carton de ses tops et de ses robes trop petits. Ça pourrait t'aller.

Une fois de plus, elle se tourne vers ma mère comme si je n'étais qu'un objet.

– D'accord, Eva ? Je te ferai ça pour la semaine prochaine.

C'en est trop pour moi.

– Merci, mais ça ira, j'ai des vêtements.

Pauline ricane comme si je lui avais fait une bonne blague.

– T'as toujours été un vrai garçon manqué toi. Je me souviens, quand tu étais petite, tu passais tes vacances déguisée en cow-boy ! Pourtant, tu es jolie…

Je décide de me taire. Pierre sent le malaise et tente de faire diversion.

– T'es en quelle classe ?

– J'entre en 3ᵉ.

– T'as quoi alors ? Dans les treize, quatorze ans ?

– J'ai quatorze ans, oui.

– T'as un petit copain ?

C'est quoi cette question ? C'est pas la première fois qu'on me la pose mais ça me choque toujours autant. Est-ce que je demande aux adultes que je croise, comme ça, direct, s'ils sont en couple ?

– Non.

– Ah.

Il se dandine sur le canapé. Il ne sait plus quoi dire. Ma mère se lève précipitamment et m'entraîne dans le couloir.

– Il faut qu'on termine notre dossier ce soir. Passe la soirée avec Sofiane, si tu veux.

– Voilà. Je vais faire ça.

Je m'enferme dans ma chambre, casque sur les oreilles. J'ai besoin de me couper des autres, de me sentir ailleurs, le monde me paraît trop petit.

Après quelques morceaux de musique
pour me calmer, je sors enfin de ma tanière. Ma mère
et ses collègues parlent chiffres et je me glisse jusqu'à
la porte d'entrée puis lance, assez fort :

– Je vais chez Sofiane !

Absorbée par son travail, ma mère me répond
distraitement :

– Oui, oui, OK.

Dehors, je ferme les yeux en respirant l'air chaud. Je
traverse la rue et frappe chez Sofiane en espérant qu'il
soit là.

Aïssatou m'ouvre la porte.

– Agathe ! Ça fait un petit moment que je ne t'ai pas
vue ! Tu vas bien ?

– Ça va, merci Aïssatou. Sofiane est là ?

— Oui, il est rentré pour le repas mais je crois qu'il repart… Avec toi, non ?

Aïssatou a sorti le regard scrutateur d'embrouilles des mères avisées.

— Euh… oui. Je passe le chercher justement.

J'ouvre la porte de la chambre de Sofiane :

— Alors comme ça on passe la soirée avec sa pote… Sans sa pote ?

Sofiane pousse un soupir de soulagement. Il s'approche de moi et me parle bas.

— Agathe, tu m'as fait peur ! Arrête, je t'ai envoyé des messages, tu n'as pas répondu !

— J'ai pas entendu, j'écoutais de la musique au casque et j'ai pas regardé mon téléphone… C'est quoi le truc ?

— Ce soir, Jessa m'a proposé d'aller chez Warren avec Laure et Julian. Je t'ai écrit pour te dire de venir, mais il vaut mieux ne pas le dire à ma mère, sinon elle va me poser dix mille questions : qui c'est, si ses parents seront là, avec qui on sera, s'il y aura de l'alcool, etc., et ça va me soûler. Du coup, je lui ai dit que toi et moi on allait chez Julian. Elle sait qui c'est.

Sofiane soupire.

– Ta mère, au moins, elle est plus cool.

– Ça, c'est sûr… Elle s'en fiche, de savoir où je suis, avec qui et à quelle heure je rentre.

– T'as de la chance.

– Je sais pas.

On dit au revoir à Aïssatou et je fais ce que je peux pour éviter son regard car je déteste lui mentir.

On marche vers le centre-ville. Je ne suis pas sûre de vouloir accompagner Sofiane mais je préfère être avec lui plutôt que chez moi, avec ma mère et ses collègues. Et puis j'ai envie de lui poser une question.

– Sofiane… C'est comment d'embrasser quelqu'un ?

Sofiane est un peu troublé par ma question.

– Bah c'est… Au début, c'est bizarre. Mais après, c'est bien. Parce que, quand tu aimes quelqu'un, c'est comme si tu avais envie de connaître chaque petite parcelle de l'autre, tu vois ?

– Je ne sais pas.

– Je comprends, moi c'était pareil. Mais Jessa, c'est… mon soleil, quoi.

Je m'apprête à rire mais Sofiane regarde droit devant lui, les yeux brillants. OK. Donc, le gars est sérieux. Il poursuit :

– Je sais pas comment l'expliquer, Agathe. J'ai envie de la voir tout le temps. De la regarder tout le temps. De l'écouter, d'être tout près d'elle tout le temps. Tu vois ? Je ressens comme une urgence. Parce que je pense à elle tout le temps.

Je ne réponds rien. Je ne comprends pas très bien de quoi parle Sofiane. Je repense à ces garçons, à la salle de boxe. Est-ce que c'était la même chose, cette chaleur envahissante que j'ai ressentie ? Non, c'est forcément différent, je ne pense jamais à ces garçons, je ne les connais pas, je n'ai pas spécialement envie de leur parler. C'était quoi, alors ? Est-ce que c'était normal ?

Sofiane s'étonne de mon silence. Il ne sait rien de ce drôle de truc qui m'a traversée tout à l'heure. Il se méprend :

– Sois pas triste, Agathe, tu vas tomber amoureuse, toi aussi, un jour.

Je n'ai pas envie de lui exposer mes doutes. Pas maintenant. Et peut-être pas à lui. Je botte en touche. Et puis, j'ai l'impression qu'on marche depuis des heures.

– Peut-être. Bon… Il habite où Warren ?

– Quartier Victor Hugo.

Je manque de m'étaler sur le trottoir.

– Hein ! Tu plaisantes ? C'est de l'autre côté de la ville ! On en a pour dix jours de marche !

– Ce que j'aime chez toi, c'est que tu n'as aucune tendance à l'exagération.

– Sofiane, je suis en tongs ! J'ai déjà mal aux pieds. Allez viens, on rentre et on se regarde un film…

Sofiane me jette un regard espiègle.

– Non. J'ai une bien meilleure idée.

Il regarde à gauche et à droite, m'attrape par le bras et m'attire dans une petite impasse. Au bout de celle-ci, se trouvent la maison et le garage d'un couple de retraités. Sofiane me murmure :

– On va emprunter le vélo de monsieur Tanier. Je tonds la pelouse chez lui parfois, il ne ferme jamais son garage à clé.

Sur la pointe des pieds, en silence, on se colle contre le mur. Mon cœur bat à 100 à l'heure. Serrée contre Sofiane, je sens son souffle qui s'est accéléré. Avec lenteur, il appuie sur la poignée de la porte. Qui s'ouvre sans résister.

– Attends-moi là, fais le guet !

J'acquiesce tout en me demandant ce que je ferai si je vois quelqu'un arriver.

Sofiane réapparaît très vite, en faisant rouler le vélo à côté de lui, triomphant. On referme la porte et on remonte l'impasse en essayant de ne pas faire de bruit.

Un peu plus loin, on souffle enfin.

– T'es un dingue, Sofiane ! Tu viens de voler un vélo !

– Ah non, juste emprunter, je le rapporte à notre retour.

Il enfourche le bolide, une machine pas toute récente à la peinture rouge écaillée et m'invite :

– Allez, grimpe !

Je m'assois comme je peux sur le porte-bagage et enserre la taille de Sofiane.

– C'est bon ? T'es bien accrochée ?

– Oui… Je crois…

– C'est parti !

On roule, on tangue, on grince, on brinquebale et on rit, on rit tellement dans la nuit que j'ai envie que ce voyage dure toute la vie. Par deux fois, je manque de m'étaler sur la route tellement je ris.

On finit par arriver chez Warren, rouges et hilares. Sofiane a les bras engourdis et des raideurs dans la nuque à force de se crisper sur le guidon.

– Je pense que je suis prêt pour devenir biker.

– Sofiane, je crois que j'ai perdu mon coccyx. Il faudra bien regarder, sur le chemin du retour.

On rit tellement fort que Warren passe la tête par dessus le mur de son jardin :

– Salut les dingos, entrez !

– Salut Warren. Dis, est-ce que je peux rentrer ma bécane ? Je ne voudrais pas qu'on me la vole.

Warren jette un œil à notre monture.

– Tu crois qu'on pourrait te voler cette chose ?

– Je t'assure. On ne sait jamais.

Sofiane me fait un sourire complice.

– OK, vas-y, tu peux le poser contre le mur, là-bas.

Je suis Sofiane comme un petit chien, un pas derrière lui, en permanence. C'est son univers après tout : sa petite amie, ses nouveaux amis. J'ai la désagréable impression d'être de trop.

Les autres sont au fond du jardin, près d'une balançoire. Julian est assis dans un fauteuil, Laure sur la balançoire et Jessa, stratégiquement je le devine, sur un petit banc recouvert de coussins. Sofiane salue tout le monde à la cantonade, je fais de même, puis il va s'asseoir près de Jessa. Se coller à elle, plus exactement. Ils s'embrassent. Un vrai et long baiser. Je fais semblant de m'intéresser à la conversation des autres mais je regarde les amoureux du coin de l'œil. Jessa glisse son bras dans le dos de Sofiane. Je le vois fondre, littéralement. Je me rappelle tout ce que m'a dit Sofiane et je me dis que ça doit être bien : de se sentir aimé, désiré comme ça.

Je me demande si j'aurai envie de tout cela moi aussi, un jour, et si mon premier baiser sera aussi bien que ce que Sofiane m'a décrit.

Laure me tire de ma rêverie.

– Et toi, Agathe, tu fais du sport aussi ?

– Oui, enfin, je commence la boxe. J'adore. Je me suis inscrite dans un club.

Laure ouvre ses grands yeux comme des soucoupes.

– Sérieux ? Mais… T'as pas peur d'être défigurée ?

– Non. Je n'y pense pas. Et puis c'est le début, pour l'instant, je m'entraîne, je ne vais pas faire de combat tout de suite.

Julian continue :

– T'es une violente. On dirait pas comme ça, avec ta tête d'ange.

– D'abord, je vois pas le rapport avec ma tête et ensuite, c'est pas la violence que j'aime dans la boxe, ce que j'aime, c'est me défendre, parer, esquiver.

– Je vois.

Warren propose une partie de Burger Quiz. On accepte mollement mais, finalement, le jeu nous fait rire et je me détends enfin. J'observe les autres à la dérobée. Jessa et Sofiane, serrés l'un contre l'autre à se regarder

toutes les trois secondes, Laure qui n'arrête pas de bla-
guer, Julian qui parle peu. Il n'y a que Warren que je
ne peux pas regarder, puisque son regard est rivé sur
moi, presque en permanence. Je sens ses yeux qui me
brûlent le visage. C'est étrange parce qu'il ne m'adresse
quasiment pas la parole. Il parle aux autres, il rit avec les
autres, mais il ne me dit rien. Il me regarde, en pensant
être discret. Je ne sais pas trop que penser de lui.

Le jeu de société terminé, le soir est bien tombé sur le
jardin silencieux. Les petites torches solaires autour de
nous éclairent nos visages d'une faible lumière blanche.
On paraît plus vieux, les boutons se camouflent, les
yeux sont plus sombres.

– Un «action ou vérité», ça vous dit?, lance Laure
avec un petit sourire en coin.

Il y a comme de l'électricité entre nous, au-dessus
de nos têtes. Je n'ai jamais joué à ce jeu avec d'autres
personnes que Sofiane et mon cœur se met à battre
plus fort.

– OK, dit Warren en se levant, je commence. Sofiane :
action ou vérité?

Même sans le regarder, je comprends l'hésitation
de Sofiane. Je peux quasiment l'entendre penser. Il se

doute qu'on va le chercher sur sa relation avec Jessa. Il se demande s'il préfère être obligé de faire quelque chose qui pourrait entraîner un malaise chez Jessa ou répondre à une question gênante. Je sais déjà ce que va dire mon ami, qui est quelqu'un de bien.

– Vérité.

Warren est déçu. Il s'agite, il cherche quelque chose pour déranger Sofiane.

– Petit joueur ! Bon, OK, alors… Est-ce que tu as déjà… glissé ta main sous le T-shirt de Jessa ?

On voit les deux amoureux se crisper, en même temps. Je devine Sofiane touché, en colère que Warren se permette ce genre de question. Il répond fermement :

– Non. À moi : Julian, action ou vérité ?

– Action.

– OK. Sofiane regarde autour de lui et s'arrête sur le paquet de marshmallows. Est-ce que tu peux réciter l'alphabet avec dix marshmallows dans la bouche ?

Le défi nous fait rire, sauf Laure qui secoue la tête.

– Vous êtes des gamins.

Julian lance un autre défi marshmallows à Jessa, Jessa demande à Warren quelle est sa plus grande peur.

– Ma plus grande peur ? Je sais pas, j'ai peur du vide, j'ai le vertige. Elles sont nulles vos questions, il faut passer aux choses sérieuses.

D'un coup, il se tourne vers moi.

– Agathe. Action ou vérité ?

– Vérité.

– J'en étais sûr. Est-ce que tu as déjà roulé un patin à un mec ?

Je me tasse sur moi-même. Ça va très vite dans ma tête. Mis à part Sofiane, qui me connaît par cœur et qui me comprendrait si je mentais, ils entrent tous en seconde en septembre. J'ai déjà vu Laure et Julian main dans la main avec d'autres élèves. J'ai peur qu'ils se moquent de moi si je dis la vérité, mais j'ai encore plus peur d'être assaillie de questions si je mens. Je me décide pour la vérité, et tant pis pour ce qu'ils pensent. Je réponds très vite :

– Non. À moi. Laure, action ou vérité ?

– Vérité.

– OK. J'ai bien envie de savoir un truc. Je me lance : est-ce que tu es un peu jalouse du temps que Jessa passe avec Sofiane ?

Laure fait un tout petit sourire, très rapide. Je me dis qu'elle comprend pourquoi je demande ça.

– Je l'ai été, un peu, au début, mais je compte bien sur la fête de Julian pour me dégoter un Sofiane à moi.

Je me détends, je prends sa remarque sur le ton de la plaisanterie et je me dis qu'elle a joué franc-jeu. Nous croyant presque complices, je ne me méfie pas et réponds naïvement «action» à sa question.

Elle jette un rapide coup d'œil vers Warren, qui semble attendre, cou tendu.

– Parfait. Tu vas embrasser Warren, tu verras ce que ça fait, comme ça.

Comme j'ai été naïve. Elle m'en veut.

Julian ne bouge plus, interloqué. Jessa et Sofiane s'interposent :

– Non, Laure, ça se fait pas de demander ça, dit Sofiane en la fusillant du regard.

– Oui, c'est abusé, complète Jessa.

– C'est le jeu, affirme Laure.

Warren reste silencieux. Il a la tête légèrement penchée vers l'avant et je ne vois pas ses yeux.

Laure reprend :

– OK, OK, alors juste un baiser sur la bouche. C'est rien, un baiser sur la bouche.

Tout le monde attend et me regarde. Sauf Sofiane. Il fixe ses chaussures. Il sait. Il sait à quel point ce n'est pas rien pour moi. L'importance que j'accorde à ma sphère intime, mon opinion sur cette habitude de demander aux femmes, aux filles, d'embrasser des joues, de toucher des peaux. Et je n'ai pas envie de toucher Warren. Ni sa joue, ni ses lèvres. Pourtant, je ne me rebelle pas, comme une grosse imbécile. Parce que je sens qu'autour de moi, il y a cette atmosphère de défi, et de jeu, comme si, pour les autres, seul compte le fait que je sois «cap ou pas cap», et peu importe ce qu'on me demande : d'avaler dix guimauves ou d'embrasser quelqu'un. Pour les autres, la peau, l'odeur, le goût des lèvres de quelqu'un, pour la première fois contre les miennes, ce n'est qu'un acte sans conséquences, un premier baiser qui se résumerait à un pari stupide. Rien de grave, puisqu'il ne s'agit pas d'eux, justement, ils n'ont que le rôle de voyeurs.

Warren patiente, immobile dans la pénombre. Puisque c'est ce que tout le monde attend, je vais le faire. J'ai l'impression de ne pas avoir le choix. Si je refuse, tout le collège va le savoir. Je serai celle qui ne veut pas embrasser un garçon sur la bouche. Une enfant. On me regardera de haut, on pouffera dans mon dos. J'approche mon visage de celui de Warren. Son attitude statique, tel un fauve qui guette sa proie, est presque dérangeante. Sofiane prend une petite respiration comme s'il allait parler. Dans ma tête je le supplie : « Oui, Sofiane, dis quelque chose. Sors-moi de là. » Mais rien, le silence. Alors je m'approche encore. Je vois Warren se passer la langue sur les lèvres, très vite, et ça me dégoûte. Je me dis qu'il faut que je fasse ça le plus rapidement possible. Coller ma bouche, hop, à peine une seconde. Que mon cerveau n'enregistre rien.

C'est ce que je fais. Je me colle contre Warren. Mais celui-ci prend mon visage entre ses mains et me force à rester sur ses lèvres. Il ouvre un peu la bouche et passe sa langue sur mes lèvres, cherche une faille pour se glisser entre mes dents, fouiller ma bouche, comme un chien errant sur les étals d'un marché, sale et affamé. Vivement, des deux mains, je le repousse. Il cède et me relâche. À cause de ses mains sur mes oreilles, sur mes joues, les autres n'ont rien vu. C'est allé très vite. Pourtant, je vois sur le visage de Laure un sourire mauvais : lèvres pincées, bouche juste étirée, comme une griffure. Les autres se détendent, soulagés d'en avoir terminé avec ce moment de tension, prêts à passer à autre chose, parce que ce n'est pas grave, ce qui s'est passé n'a pas d'importance.

Warren rompt le silence d'un rire trop fort pour être vrai.

– Bah voilà, c'était pas dramatique, tu vois ! Je suis sûr que t'as kiffé ! À toi de jouer.

Je ne me sens pas très bien. J'essaie de me dire que ce n'était rien, moi aussi. Je m'en veux de faire ma gamine, d'être la seule à me sentir sale, honteuse, faible. Je me lève.

– J'arrête de jouer. Et vu l'heure, je crois qu'on va devoir y aller.

Laure et Warren protestent.

– Allez ! Restez encore un peu.

Sofiane se lève à son tour, dans le même élan que Jessa.

– Agathe a raison, ma mère va appeler les flics, le SAMU et la Nasa si je ne suis pas chez moi à 23 h 59.

Jessa l'enlace et lui murmure quelque chose à l'oreille.

J'ai les jambes qui tremblent. Je dis très vite et sans les regarder :

– Salut tout le monde. Sofiane, je vais chercher la bécane.

Je pars pour ne pas avoir à les toucher, les embrasser, j'ai besoin d'air.

Quelqu'un me suit dans la pénombre.

– Attends, je vais t'éclairer.

C'est Warren, portable à la main.

– Merci, c'est bon, j'ai le mien.

Il est gêné, il veut me dire quelque chose mais je ne fais rien pour le mettre à l'aise.

– Agathe… Tu viens chez Julian, lundi soir ?

– Paraît que c'est prévu.

Il me sourit. Un petit sourire timide que je ne lui connais pas. Il me regarde droit dans les yeux, pour une fois.

– Cool. Agathe… Je suis désolé. C'était pas très classe tout à l'heure… Oublie ça, d'accord ?

Je reste interdite. Je ne sais pas quoi répondre. J'apprécie le fait qu'il vienne s'excuser mais ma colère est toujours là. Oublier. C'était mon premier baiser sur la bouche. Comment peut-on oublier ça ? Évidemment, je ne peux pas lui dire.

– C'est bon, t'inquiète.

Immédiatement, je m'en veux. Une partie de moi me crie que je n'aurais pas dû laisser passer ça. Que j'aurais dû lui dire, ce que j'avais ressenti. Mais c'est tellement intime.

– À lundi, alors.

Sofiane me rejoint et on enfourche notre vélo. Il ne se doute pas de la vague qui me traverse. Il parle, gai et léger.

– Zieute si tu vois ton coccyx !

Je me force à sourire.

– Je crois qu'il y a des trucs qu'on perd à tout jamais.

– Si ce n'est qu'un coccyx, alors ça doit pas être bien grave.

– Tu as raison. C'est pas bien grave.

On remet le vélo là où on l'a trouvé et on termine à pied, en silence, chacun dans ses pensées.

Le lendemain matin, j'ai très envie de voir Sofiane. Je ne sais pas si j'arriverai à lui parler de la soirée, mais je sens que j'ai besoin d'un ami. Quelqu'un avec qui faire un truc sympa, sans prise de tête, un truc qui change. On pourrait prendre le bus et passer la journée à la mer. Ou se faire une journée VTT, aller plus loin sur des chemins inconnus. On pourrait se payer des entrées pour un festival de musique, en août. Prévoir quelque chose tous les deux. Je m'habille et me précipite chez lui, sans sonner. Il fait déjà une chaleur de four. Sofiane est affalé dans un fauteuil, avec une BD. Un peu tendue, je prends place sur le canapé.

– Salut Sofiane.

– Salut Agathe ! Jessa nous rejoint pour le déj', ensuite, on se fait la fin de *Stranger Things*, j'ai prévu le pop-corn.

Je soupire. J'avais besoin d'un ami et d'un brin de folie, pas d'être la cinquième roue du carrosse. Je suis déçue. Vexée. Agacée.

– Mmmh.

Sofiane, surpris, lève le nez de ses pages.

– Quoi ? Tu ne veux pas voir la suite ?

– Moui, si. Mais je m'ennuie un peu. On fait tout le temps pareil. J'ai envie qu'il se passe quelque chose dans cette ville, dans cette vie.

Il pose sa bande dessinée, se redresse.

– Tu as raison. Faut qu'on bouge.

– Exactement !

– Il faut qu'on passe plus de temps avec d'autres gens, avec Jessa et Julian, tout ça ! Il faut qu'on rencontre d'autres personnes ! Et toi, il faut que tu tombes amoureuse !

Moi qui croyais qu'il avait compris.

– Sofiane, je ne sais pas si ça me donne envie… Quand je te vois aussi dépendant de ce que Jessa dit ou fait…

Piqué au vif, Sofiane ronchonne.

– Tu dis ça parce tu ne sais pas ce que c'est. Excuse-moi d'être heureux ! J'ai l'impression que tu m'en veux d'être bien, joyeux avec quelqu'un. Tu es jalouse ou quoi ?

Je ne veux pas le lui dire, mais peut-être que oui, un peu. Pas jalouse de Jessa, mais de ce qu'ils vivent et dont je suis exclue.

— Non, Sofiane, je ne suis pas jalouse et je ne t'en veux pas. C'est pas ça… J'en sais rien. Je m'ennuie, je te dis. J'ai envie qu'il y ait de l'action dans ma vie, de l'imprévu, de l'aventure, tu vois ! Je suis contente pour toi mais je ne trouve pas que ce que tu vis soit super périlleux non plus, excuse-moi. C'est un peu… mou.

Sofiane est vexé pour de bon, cette fois. Il a cette expression butée que je connais bien. Celle des grandes colères. Mais c'est la première fois qu'elle est dirigée contre moi.

— T'exagères, Agathe ! Tu es de mauvaise foi ! À chaque fois que je te propose d'aller voir les autres, ça ne te convient jamais. En fait, quoique je propose, ça ne te convient pas, en ce moment ! Faut toujours faire ce que toi tu veux. T'es égoïste, voilà !

Cette remarque est tellement injuste qu'elle me fait me lever d'un bond. J'avais besoin de lui ce matin et voilà qu'en quelques minutes, on se dispute sérieusement.

— Je suis égoïste ? J'accepte de passer du temps avec des gens que je ne connais pas, je te laisse des moments seuls avec ta petite copine et je suis égoïste ? Tu ne penses qu'à toi, en ce moment. Tu n'as même pas remarqué, chez Warren.

– Que voulais-tu que je remarque ? Tu ne me dis rien. Tu ronchonnes ou tu te tais, dans ton coin. Si tu veux me dire un truc, tu me le dis, un point c'est tout. Je suis pas dans ta tête.

On se toise, chacun d'un côté de la table basse. Aucun de nous ne veut céder. Aucun de nous ne reconnaîtra ses torts, trop persuadé de ceux de l'autre. C'est notre première vraie dispute. Avec les mots qui blessent et les pointes qui visent juste. Je me lève et sors de la maison, sans un mot. Je ralentis dans la rue, tête baissée. J'ai envie d'y croire. Je voudrais que ce soit comme dans les films. Mais Sofiane ne me court pas après. Traverser la rue me paraît beaucoup trop court. Pour une fois, j'aurais voulu un chemin plus long, entre lui et moi, pour qu'il ait le temps de s'apercevoir de ses erreurs, le temps de me rattraper. Mais je dois me rendre à l'évidence, je suis devant ma porte et seule dans cette rue.

Dans l'entrée, j'évite mon reflet. Des larmes glissent dans mon cou. Je me blottis sur le canapé et allume la chaîne hi-fi. Je monte le son pour couvrir mes hoquets.

Je passe le reste de la journée chez moi. À osciller entre Pomme et Shaka Ponk, à danser n'importe comment dans la cuisine et à m'avachir de désespoir dans les coussins. Je ne sais pas bien ce que je veux : si je veux que Sofiane revienne et s'excuse ou si c'est à moi de le faire, je ne sais pas si j'ai envie d'aller boxer ou de prendre mon vélo et rouler des kilomètres, si je veux être seule ou aller faire un tour en ville…

J'en suis là de mes questions, la tête renversée sur l'accoudoir du fauteuil, les jambes contre le dossier, lorsque Sofiane passe la porte.

– Agathe, je suis désolé. Enfin pas vraiment pour tout, mais j'ai pas envie qu'on soit fâchés.

Je me redresse pour le regarder en face.

– Moi aussi, je suis désolée qu'on soit fâchés et, moi aussi, je crois que j'avais un peu raison.

– Est-ce que c'est grave, tu crois ?

Je prends quelques secondes avant de répondre. C'est vrai que je lui en veux encore un peu, mais je suis encore plus soulagée qu'il se tienne ici, près de moi, et contente qu'il ait fait le premier pas.

– Non. Ça n'a pas tellement d'importance. On ne va pas se gâcher les vacances pour une dispute.

– Notre première, en plus.

On se sourit.

– C'est vrai. Ça se fête. On va en ville s'acheter un cône, ça te dit ?

– Carrément.

On pédale comme des fous pour sentir un peu d'air sur nos joues. On s'achète des cônes menthe-chocolat au distributeur de la galerie commerciale et on va s'asseoir sur un banc de la grande place, qui surplombe la colline. Autour de nous, le ballet habituel de juillet : les touristes, les anciens, les jeunes en skate. On a étendu nos jambes sur le muret d'en face et je surprends parfois un regard plus appuyé sur les miennes de la part d'hommes qui passent. Ils ont tous les âges, ces hommes qui posent leurs yeux sur ma peau. On dirait des regards qui touchent. Qui pensent. Qui attrapent. Ça me dérange et je replie mes jambes. Sofiane ne remarque rien et ôte même ses tongs. C'est normal, personne ne lui reluque les mollets, à lui.

– On est bien là. On devrait se réconcilier plus souvent.

Je ris.

– Tu as raison.

On reste une bonne heure ainsi. Et puis je commence à me lasser de cet horizon. Je sais que c'est beau, mais c'est du par cœur pour moi.

– On bouge ? Je m'ennuie…

Sofiane me lance un regard en coin.

– T'es du genre un peu chiant toi, non ? OK, on rentre. Il faut être en forme pour demain.

– Demain ?

Il fronce les sourcils bizarrement, comme pour savoir si je plaisante.

– Agathe, tu ne peux pas avoir oublié… La fête chez Julian, demain soir… Tu vas chez Jessa avant, tu te souviens ?

– Ah oui, c'est vrai.

Je me tais sur le trajet du retour. Je pense à cette fête. J'appréhende et j'ai hâte en même temps. Je me demande qui sera invité, s'il y aura des gens du collège, de nouvelles têtes. Je ne sais pas danser. Est-ce qu'on va danser ? Et que voulait dire Jessa, quand elle disait qu'il valait mieux « entrer dans le moule » ? À quel moment la façon de s'habiller ou de se coiffer a pris autant d'importance ? C'est à la fois angoissant et grisant.

Je secoue la tête pour moi-même : Sofiane a raison, je suis une incorrigible insatisfaite. Pour une fois qu'il se passe un truc dans ma vie, je vais essayer de ne pas trop réfléchir et tenter de prendre les choses comme elles viennent.

Je sonne timidement à la porte. Jessa m'ouvre immédiatement et m'invite à entrer.

– Désolée pour le bazar. On n'est pas très rangement, à la maison…

Le salon est un joyeux bric à brac. Des playmobils mis en scène qui attendent le retour de leur propriétaire, des vêtements abandonnés, des outils de jardin sur la table. Mais le plus fascinant, ce sont les murs. La mère de Jessa est photographe et tapisse la maison d'œuvres parfois immenses. C'est étrange mais c'est beau.

Je suis Jessa en évitant les obstacles jusqu'à sa chambre, à l'étage, sous les combles. Une chambre chaleureuse, avec une niche pour la fenêtre et des poutres lourdes qui vous frôlent les cheveux.

– Elle est chouette ta chambre.

– Oui, c'est vrai, je l'aime bien aussi. Bon, je te montre ce que j'ai ?

Jessa ouvre la porte de son placard et commence à lancer quelques vêtements sur son lit.

Je m'assieds par terre, sur le tapis moelleux, évitant de temps en temps une jupe ou un T-shirt volant d'un mouvement de tête.

– On va essayer ça. Vas-y.

Avec tact, Jessa s'accoude à la fenêtre, dos à moi, le temps que j'enfile les vêtements.

Le pantalon slim est tellement serré que je peine à le faire glisser jusqu'à ma taille. Pour le haut, Jessa a opté pour un T-shirt rouge, tout simple, dans un tissu fluide, mais dont le décolleté me semble vertigineux.

– Euh Jessa… T'es sûre ?

Jessa se retourne et sourit. J'ai même l'impression qu'elle se retient de rire franchement.

– Agathe, c'est un col asymétrique. Tu vois, tu le mets comme ça là, il te découvre un tout petit peu l'épaule.

Elle ajuste le T-shirt. Je me sens un peu mieux, mais on ne peut pas dire que je sois à l'aise.

– Tu as un miroir ?

– Attends, d'abord la coiffure et le maquillage, après, tu te regarderas.

Jessa me fait asseoir sur sa chaise de bureau et va chercher tout un ensemble de peignes, pinces, poudres, mousses, crèmes, mascaras. Je ne dis plus rien.

– Laisse-moi faire, tente-t-elle de me rassurer.

Elle dépose une noix de mousse dans la paume de sa main et commence à me froisser les cheveux ici et là. Elle attache quelques mèches, en relève d'autres à l'aide de pinces qu'elle dissimule ensuite sous un flot de cheveux. Elle termine par une bouffée de spray « effet retour de plage ».

– Maintenant, maquillage.

Jessa s'affaire sur mon visage. J'ai l'impression étrange que les quelques grammes de mascara et fond de teint appliqués pèsent des tonnes. J'ose à peine bouger les paupières.

– Agathe, tu as le droit de respirer. Le miroir est juste là, derrière la porte. Je te laisse admirer le travail, moi, je vais me changer.

Je me lève et m'approche timidement de mon reflet. Je ne suis pas sûre de ce que je vois. C'est moi, c'est bien moi, mais les ajouts me sautent aux yeux comme s'il s'agissait d'un miroir grossissant. Je fais plus âgée. Mes yeux bleu pâle semblent immenses sous mes cils étirés. Les mèches qui se collent généralement à mes joues sont retenues en arrière. J'ai l'impression de voir mon visage en entier pour la première fois depuis bien longtemps. Le T-shirt dévoile un peu de mon épaule gauche. Le jean serré fait apparaître des hanches et des fesses inconnues de moi jusqu'alors. Je suis en train de me contorsionner de manière étrange lorsque Jessa se poste à mes côtés.

– Oui, je sais, voir ses propres fesses demande toujours une certaine souplesse !

Jessa s'est attaché les cheveux en chignon et a souligné son regard d'un trait d'eye-liner. Sans son appareil dentaire, on lui donnerait facilement quatre ou cinq ans de plus. Elle a enfilé une robe chemise resserrée à la taille par une grosse ceinture. Pour la première fois, je remarque sa poitrine, une vraie poitrine, avec des rondeurs et des creux.

Jessa a dû suivre mon regard car elle se replie un peu sur elle-même, comme pour se cacher.

– On les voit trop ? Je sais que j'ai trop de poitrine mais je ne sais pas comment faire…

– Non, non, Jessa, pardon… C'était pas… Enfin, excuse-moi, j'ai pas l'habitude. Tu vois, j'ai pas ça en stock. Il est clair que je ne suis pas embêtée par ma poitrine. Depuis peu, je porte des soutiens-gorge, mais il n'y a pas grand-chose à soutenir.

On rit toutes les deux.

— Tu es super belle, Agathe. Comme ça ou comme tu es tous les jours, tu sais. Tu as... Je ne sais pas... la classe. Du charme.

Ça me fait plaisir et notre complicité du moment me donne envie d'être sincère.

— Merci Jessa, pour les vêtements. Je suis pas sûre que je remettrai ça, mais... c'est marrant. Ça change. Et sans toi, je n'aurais jamais osé. Qui est-ce qui t'a appris tout ça?

— J'ai une grande sœur. Elle me gonfle mais c'est pratique pour bien des trucs.

— J'imagine.

— Tu sais, si tu veux des conseils ou quoi, un jour, n'hésite pas. Et je peux te prêter du maquillage, si tu en as envie.

— Merci.

Je m'apprête à remettre mes vieilles Converse rouges, quand Jessa me tend une paire de chaussures à lanières et à talons.

— Ah non. Pas des talons, par pitié.

– Roh, tu exagères, c'est pas vraiment des talons ça !

Forcément, vu sur quoi elle est juchée, je comprends sa remarque.

– Allez !

Une fois debout, je me plante bien droite sur mes pieds pour éviter la chute. Jessa rit.

– Bon, cow-boy, on va s'entraîner un peu, OK ?

– Ouais, enfin je pense que Sofiane doit nous attendre, vu l'heure.

– Tant mieux.

Jessa me donne le bras et commence à marcher :

– Allez, une et deux, une et deux…

J'essaie de suivre son exemple en me tenant le plus droite possible. Après quelques allers-retours dans sa chambre et un fou rire, on est prêtes. Enfin, si on veut.

Lorsque Sofiane nous voit, il ouvre un peu la bouche puis la referme.

– Eh ben… Les filles… Vous êtes super belles.

Il dit « vous » mais c'est Jessa qu'il dévore littéralement des yeux. Son regard est bizarre, intimidé, presque impressionné. Sofiane est attentif à Jessa comme un chiot à son maître. Il lui demande si elle veut qu'il porte son sac, si ses chaussures ne lui font pas mal, si elle n'a pas trop froid ou trop chaud.

– Ben dis donc, l'amour ça rend un peu débile, je lui lance, moqueuse.

À ses lèvres pincées, je vois que Sofiane est blessé. Je n'ai pas pu m'empêcher d'être un peu piquante.

Malgré moi, je m'observe dans chaque vitrine, je remets mes boucles en place, rajuste mon col. Moi qui me moque parfois de ces filles que je juge superficielles, celles qui se rhabillent devant la porte vitrée de la vie scolaire… S'apprêter donne envie de jouer, une confiance nouvelle aussi. On a l'impression d'être quelqu'un d'autre, de porter un costume, comme si c'était du théâtre. Peut-être que, de temps en temps, j'oserai demander du maquillage à Jessa.

Jessa délaisse Sofiane et vient me prendre le bras. Elle me chuchote à l'oreille :

– Mes pieds sont clairement en train de mourir…

– M'en parle pas.

On rit toutes les deux. Sofiane ne comprend rien et nous regarde avec un air de chaton malheureux. Ça nous fait encore plus rire.

La maison de Julian est un de ces vieux mas typiques d'ici que les touristes photographient sous toutes les coutures. La musique de la fête s'entend depuis la rue. On sonne à l'interphone et Jessa fait des grimaces à la caméra.

– C'est nous, Ju !

– Salut vous, mot de passe ?

– Ouvre la porte, imbécile !

– Bravo ! Je vous ouvre !

Dans le jardin, des gens discutent, un verre à la main. Je reconnais quelques têtes du collège, mais il y a aussi beaucoup d'inconnus, sans doute des amis du grand frère de Julian.

À l'intérieur, on retrouve Laure et Warren, on ne sait pas trop quoi se dire. Personne n'est habillé tout à fait comme au collège, Laure est si maquillée que son visage semble lisse comme celui d'une fille dans un magazine en papier glacé. Julian finit par nous proposer d'aller chercher un verre dans le salon.

En regardant autour de moi, je comprends pourquoi Jessa accordait tant d'importance à la tenue. Ici, chaque parcelle de tissu, de peau, d'iris, d'émail, de poil et d'ongle compte. On rit en faisant plus de bruit. On se déplace avec plus de mouvements. On boit de l'alcool, on fume des cigarettes. On salue d'un petit geste entendu ou d'une bise appuyée, les plus âgés que soi et on glisse des regards en coin pour vérifier que tout le monde a vu. Il y a une sorte de sens de circulation des regards et des attitudes, des mimiques, des codes que j'ignore. Ces soirées sont des vitrines qui permettent aux gens de mesurer leur popularité, de se jauger. Je me sens vraiment mal à l'aise.

La musique est tellement forte qu'on est obligés de se pencher contre l'oreille des gens pour leur parler. Je vois Sofiane accepter la bière qu'on lui tend. Moi, je refuse et opte pour un Coca.

Jessa et Laure vont parler avec des filles de leur classe et, pour ne pas rester seule, comble de la honte dans ce genre de soirée, je suis les trois garçons jusque dans la chambre de Julian, à l'étage. Cinq garçons, assis sur le lit de Julian et par terre, sont déjà dans la pièce, j'en reconnais deux, vaguement. Il y a des canettes de bière et de soda au sol, un des garçons fume à la fenêtre. Leurs yeux brillent, ils parlent fort.

– Salut Julian ! Bien cool, ta petite fête !

– Merci, dit Julian.

Il fait un rapide geste de la main pour nous présenter.

– Agathe, Sofiane.

Un garçon assis par terre lève les yeux vers nous.

– Salut ! Hé, c'est toi le mec de Jessa, c'est ça ?

Sofiane bombe le torse. Je vois à quel point ça lui fait plaisir qu'on parle de lui comme ça.

– Ouais.

Le garçon émet un petit sifflement entre ses dents.

– Bah, bravo. Jessa, elle est genre…

Il mime deux gros seins devant son torse.

– Trop bonne !

Des types rient. À mes côtés, je sens Sofiane vaciller très légèrement.

– Heu… oui… euh, enfin je sais pas si j'aime comment tu parles d'elle…

Le garçon me jette un coup d'œil.

– Oh, ça va, on est entre nous, entre mecs on peut se dire les choses, non ? Et puis, je ne vois personne avec des seins dans cette pièce !

Julian, Warren et les autres garçons rient de bon cœur, un rire gras et imbécile, un rire de lâches, de faux initiés, un rire dégueulasse et qui fait mal.

Je jette un coup d'œil à Sofiane. Il rit, faux et un peu moins fort que les autres. Il est gêné, c'est évident, mais il rit pour faire comme tout le monde. Je ne m'attarde pas, je n'ai pas envie de croiser son regard.

Le pire est ailleurs. Le pire, c'est que moi aussi, je ris. Comme une idiote. Je ris plus fort que les garçons, avec les yeux fermés. Et déjà, ils passent à autre chose, font circuler le bol de cacahuètes en parlant du dernier jeu vidéo en vogue, mais moi, je ne peux pas. Je ne pourrai plus. Je retiendrai ça, de cette soirée. Je hoche la tête mais je ne sais pas à quoi. Je n'écoute plus, je n'ai plus le son. Mes bras font ce qu'ils peuvent pour se mettre en travers de ma poitrine, pour couvrir cet espace honteux, cette étendue sans vallée. Il fait une chaleur de four dans cette pièce minuscule où nous sommes trop nombreux, pourtant je resserre chaque seconde un peu plus les bras sur moi. Cacher le vide.

À un moment, je n'y tiens plus. J'ai vraiment trop chaud. Je m'approche de la fenêtre et respire l'air extérieur. Le vent de la nuit me fouette les joues et se promène dans mes cheveux. La fraîcheur me fait du bien. C'est là que je prends deux décisions. La première, à effet immédiat : je vais quitter cette soirée, maintenant. Traverser la pièce, descendre récupérer mon sac et sortir sans rien dire à personne.

La seconde, je la garde au fond de ma tête en feu : un jour, je parviendrai à accepter ce que je ne maîtrise pas de mon corps. J'apprendrai à me défendre, à me sentir fière d'être une fille. Je saurai trouver mes mots et ne pas écouter les leurs. Je ne veux plus que mon corps soit l'affaire des autres.

Mais pour que ce jour arrive, il faut commencer maintenant. Commencer à refuser les discours des autres sur mon corps, s'opposer, accepter. Je déplie les bras et redresse mes épaules. Je me glisse hors de cette chambre qui sent le fauve, sans rien dire à Sofiane qui discute avec un garçon. Dans le salon bruyant, je marche sur le sol collant jusqu'à mon sac, en me demandant comment c'est possible que ce soit si vite le bordel, la vie : tu es là, tranquille, à jouer aux playmobils et à faire des barrages, et en moins de deux, tu te retrouves à fuir une fête pleine de bière pour des histoires de seins.

Je passe la porte. Sur la terrasse derrière moi, j'entends une voix.

– Agathe ?

Jessa est à quelques pas de moi. Dans la pénombre, je ne distingue que sa silhouette.

– Je rentre, Jessa. Je suis crevée. À plus !

Je parle précipitamment. Je ne lui laisse pas le temps de me répondre, de me suivre, je ne la regarde pas, mais, dans mon dos, je suis sûre qu'elle reste figée en me suivant des yeux, interloquée.

Je cours dans la nuit, me tordant les pieds sur mes talons. Je ne prends pas la direction de la maison mais celle de la salle de boxe.

J'enfile mes gants habituels, mains nues, sans les bandes. Tant pis, ça fera l'affaire. Puis j'entre dans la salle vide. J'allume les lumières et je me regarde dans l'immense miroir qui occupe une moitié du mur du fond. Mis à part les talons que j'ai enlevés pour ne pas abîmer les tapis, je m'étonne de trouver mon reflet quasiment identique à celui de la chambre de Jessa. Une poupée avec des gants de boxe. Je ne comprends pas que le portrait ne soit pas plus dévasté. Plus en adéquation avec le galop de mon sang dans mes veines.

Doucement d'abord, puis de plus en plus fort, je frappe. Je frappe parce que c'est injuste. Je frappe parce que j'ai peur. Je frappe parce que j'ai envie de pleurer, de hurler. Je frappe pour pouvoir m'oublier complètement, ne même plus avoir à manger ni boire ni dormir, juste boxer, pour le reste de ma vie. Il y a une fureur en moi qui ne peut s'échapper que de cette façon, un ogre qui rugit.

Je suis un peu sonnée par mes propres réactions, je ne les comprends plus. Ces garçons qui ont pris le contrôle en un éclat de rire sans que je ne puisse rien y faire. Je n'ai pas su parer, leur rire m'a frappée en plein visage et je me suis laissé faire comme une gourde. Une faible. Pourquoi ça m'a autant touchée ? Pourquoi je n'en ai pas rien à faire ? Je me sens nulle d'être blessée par une parole malheureuse débitée par un imbécile, je suis fatiguée de ce tumulte de sentiments qui m'habite depuis quelque temps.

Je frappe contre ce baiser qu'on m'a volé, mon premier. Je cogne mon silence d'alors.

Je redouble de force et de rage. Mes mains dansent et mes pieds me portent à peine. Les frottements du tissu des gants sur mes articulations me brûlent mais ne m'arrêtent pas. Je sens les cheveux s'échapper de ma coiffure pour venir se coller sur mon front, et les muscles de mon visage me font mal sous mes grimaces. Je m'en fous d'être laide et dégoulinante, je m'en fous parce que c'est aussi moi, ça, c'est surtout moi. Je danse sauvagement avec ce sac qui revient sans cesse, je me sens plus libre.

Je donne des coups pour ce slim trop serré, pour ce haut qui n'est pas moi, pour les épingles à chignon qui me tirent la peau du crâne, pour le mascara qui coule. Je frappe contre cette soirée ridicule. Je frappe contre mon rire de gourde qui sonnait faux, contre ma timidité. Je frappe contre mon silence, moi qui n'ai pas défendu Jessa. Contre le silence de Sofiane qui ne m'a pas défendue. Je frappe contre les bulletins injustes, les regards sur mes jambes, l'indiscutable éloignement de Sofiane. Et je pleure, un peu.

Je ne sais pas combien de temps s'est écoulé depuis que je suis arrivée. Mes jambes tremblent. Je respire bruyamment. Je me regarde à nouveau dans le miroir. La poupée est bien chiffonnée. Mon pantalon est bouchonné, j'ai des auréoles de sueur jusque sur les hanches. Le pire, c'est mon visage. Les traînées de larmes et de sueur ont charrié le maquillage trop épais, et des mèches blondes lévitent comme des plumes autour de mes pommettes écarlates.

Je me parle à voix haute.

– Regarde-toi. Regarde. Ça, c'est toi.

Je jette un œil à mon portable : 23 h 17. Pitoyable. Je suis partie si vite de cette fête.

Dans un coin de l'écran, trois bulles Messenger se chevauchent. Warren, un message. Jessa, cinq messages. Sofiane, neuf messages. Je commence par Warren.

Agathe, ça va ? Pourquoi tu es partie si vite ? J'aurais bien aimé te parler.

Je ne réponds pas. On verra plus tard.

Jessa :

Agathe, Sofiane m'a raconté.

Il s'est senti con de ne pas avoir répondu apparemment, mais comme tu riais aussi, il a cru que tu le prenais sur le ton de la plaisanterie.

Quel imbécile.

Enfin moi, je comprends et t'as bien fait de t'éloigner de ces gros connards.

Mais j'ai pas compris, c'est venu de quoi ?

Je pianote rapidement.

J'avoue, je me suis sentie humiliée

Et en colère d'avoir ri sans répondre, comme une cruche.

J'en veux pas à Sofiane, je crois qu'il a pas su quoi répondre, comme moi.

J'hésite quelques instants. Commence à écrire puis efface. Recommence.

Je ne sais plus de quoi c'est parti, une blague de mec débile sans doute.

T'inquiète, ça va mieux. Biz.

J'attends avant de lire les messages de Sofiane. Je veux les lire dans mon lit, à l'abri de tout, dans la chaleur rassurante de ma couette. Sur le chemin jusqu'à la maison, les voitures qui passent à côté de moi en klaxonnant ou en ralentissant me font presser le pas.

Pour une fois, la maison me semble un cocon. Elle est silencieuse. Une fois mes yeux habitués à l'obscurité, je me dirige le plus discrètement possible vers la salle de bain pour me débarrasser de ces vêtements qui me collent à la peau. Je ne peux pas prendre de douche, ça réveillerait ma mère, alors je m'éclabousse le visage, plusieurs fois, pour enlever le noir, le rouge, les larmes. J'arrache les dernières pinces de mes cheveux, enfile ma chemise de nuit, puis traverse en une seule enjambée le couloir pour gagner ma chambre, enfin. Couchée sur mon lit, je ne peux pas fermer les yeux. J'attrape mon téléphone.

Agathe, je suis trop désolé.

Je suis un gros con. J'ai rien dit.

Pourquoi j'ai rien dit ?

Je sais pas. J'étais comme paralysé. Impossible de défendre Jessa, ni toi.

J'aurais dû lui dire qu'il vous manquait de respect. Qu'une fille c'est pas ça. Et qu'on s'en fout, en plus.

J'aurais dû lui dire qu'il me dégoûtait.

Mais j'ai rien dit, t'as vu. Comme un gros nul et un gros lâche.

Encore désolé. Et tu dis rien à Jessa, d'accord ?

Je suis lasse. Dans ma tête, je lui réponds que oui, j'ai été blessée, humiliée, que je prends régulièrement des coups dans mon corps de fille dont il ne saura jamais rien. Je lui en veux de penser une fois encore en amoureux transi, ce qui compte pour lui, c'est Jessa, ce qu'elle pourrait dire ou faire. Je lui en veux de ne pas s'insurger davantage de la remarque horrible de ce garçon. Ça devrait le révolter autant que moi. Je voudrais lui dire que je me sens seule, pour la première fois de ma vie, malgré notre lien.

T'inquiète.

J'éteins mon téléphone.

J'ai très mal dormi et j'émerge difficilement. Machinalement, je m'apprête à allumer mon téléphone mais je me ravise : les autres ont reçu mes réponses. La machine va s'emballer, elle va vibrer, sonner, s'éclairer de partout et je n'ai pas envie de cette agression dès le réveil. Je dois d'abord remettre de l'ordre dans ma tête. Et sur mon visage, à en croire le miroir. En me passant une main devant les yeux, je remarque les jointures abîmées de mes doigts. Je n'y suis pas allée de main morte, hier soir. J'ai également des courbatures dans les bras, les épaules et les cuisses.

La sonnette me fait sursauter.

Comme je pense qu'il s'agit du facteur ou de Sofiane, je ne me méfie pas et ouvre la porte en grand. Pour faire face à Warren.

Je suis gênée de ma tenue, de ma tête de réveil.

– Oh… Euh, salut.

Warren n'est pas très à l'aise non plus.

– Salut Agathe. Je… Je m'inquiétais de ne pas avoir de nouvelles de toi depuis hier soir, alors je me suis dit que j'allais passer. Mais je dérange peut-être…

– Non, non. C'est bon. Vas-y, entre.

Je le fais passer dans le salon et on s'installe sur le canapé. C'est étrange de se tenir là tous les deux, dans le silence. Je plie mes jambes sous mes fesses et tire sur ma chemise de nuit. Je ne sais pas quoi dire ni quoi faire. Warren semble hésiter, il n'a plus rien de cette assurance habituelle qu'il traîne en permanence avec lui au collège, sous sa veste en jean et sa mèche ondulée. J'ai l'impression que celui qui parlait fort dans son jardin l'autre soir est un autre garçon.

– Je suis désolé, Agathe, pour hier soir, dans la chambre de Julian. Tu sais, Sam n'est pas très malin. Et j'ai ri comme un idiot.

– Tu t'excuses beaucoup. Et j'avais remarqué, pour Sam.

Je réponds un peu brusquement parce que je n'ai pas envie d'en parler avec Warren. Je n'ai plus tellement envie de revenir sur ce souvenir douloureux. Et pas du tout envie d'attirer l'attention sur mon corps sans le vouloir, une fois de plus.

Il hausse les épaules, rougit.

– Ouais. D'habitude, je m'excuse pas autant. Mais toi, je sais pas… J'ai pas envie que tu sois triste. Ou que tu me prennes pour un débile. J'ai l'impression que je fais tout de travers quand tu es à côté de moi.

Il se tait. Je m'adoucis.

– C'est pour ça que tu es venu ?

– Pour ça oui et puis aussi… J'avais envie de te voir. Je… J'aime bien être avec toi, Agathe.

Warren me regarde droit dans les yeux. Mon genou touche la couture de son short en jean, le long de sa cuisse et j'ai l'impression soudaine que je ne suis plus que cet effleurement. Je ne sais plus quoi dire. Mes pensées tourbillonnent. Je me suis peut-être trompée sur Warren. Il était sans doute un peu brusque parce que je lui plaisais. Je me dis que je devrais lui laisser une petite chance. Moi non plus, je ne sais pas toujours comment bien réagir. Warren n'est peut-être pas si rustre, il est même plutôt mignon, là, à attendre en se disant qu'il va peut-être récolter un vent.

– Warren…

Je le vois s'empourprer davantage.

– J'aime bien quand tu dis mon prénom.

Cette phrase me rend toute drôle. Alors lorsqu'il approche tout doucement sa main de la mienne, sans appuyer, comme s'il me posait une question, j'effleure son pouce avec le mien.

Il serre mes doigts entre les siens, je me laisse faire. J'essaie de voir, ce que ça fait, si ça me plaît. J'ai l'impression d'un jeu de rôle, d'une pièce de théâtre où je serais à la fois la protagoniste et une spectatrice du premier rang.

– Ça te dit qu'on regarde un film ?

Je n'ose pas dire que j'aimerais surtout aller mettre de vrais vêtements et ne plus être en chemise de nuit.

– Euh… Oui, si tu veux. Tu peux regarder là, dans les DVD, je vais nous prendre quelques petites choses à grignoter.

– Ça marche !

Je quitte le salon avec un soupir de soulagement. Malgré la panique, je souris. Je me dis que je peux peut-être tenter, faire comme tout le monde, avoir un petit ami, une main à serrer, des paroles gentilles dans l'oreille. Un prénom à répéter, comme une musique qu'on se passe en boucle. Si j'essayais cette vie qui paraît si simple à tout le monde ? Après tout, il est peut-être possible d'apprécier de regarder un film avec quelqu'un d'autre que Sofiane. Ça m'éviterait de passer toutes mes vacances seule ou bien à tenir la chandelle.

Je passe rapidement dans ma chambre enfiler un short, un T-shirt et attacher ma tignasse pleine de nœuds de ma nuit agitée. Dans la cuisine, je nous pré-pare des verres d'eau fraîche, des tomates cerises et un bol de chips. Ces petites choses de rien du tout me prennent un temps fou parce que mes mains tremblent et que je fais trop de pas, trop de gestes qui n'ont rien à faire ici. Lorsque je retourne dans le salon, Warren me sourit depuis le canapé. J'ai déjà l'impression de le voir différemment. Je m'attarde sur le mouvement de ses cheveux un peu longs, je remarque une cicatrice au niveau de son coude gauche. C'est dingue comme le corps des autres ne s'offre pas de la même façon selon ce qu'on cherche.

– J'ai choisi un film. Tiens, tu t'es changée. Elle était bien ta robe. Mais tu es très jolie comme ça aussi. Comme dans ta veste rouge, là, celle que tu mets l'hi-ver... Enfin, tu es toujours jolie.

Je rougis jusqu'aux oreilles (alors il m'observe depuis longtemps ?) et me retiens de rire à l'idée que Warren n'a même pas remarqué que je portais une chemise de nuit.

– Ben… Merci. Et très bon choix de film.

Je m'installe sur le canapé, Warren met le DVD dans le lecteur et se rassied près de moi. Très très près de moi. Nos genoux se touchent. Nos épaules aussi.

Je ne vois rien du début du film parce que je suis une épaule et un genou. Je n'ose pas bouger. Au bout de quelques minutes, Warren s'agite un peu et se colle encore plus à moi. Son contact me donne chaud, je ne suis plus très à l'aise. Je suis pas sûre de ce dont j'ai envie : qu'il reste contre moi ou qu'il s'éloigne. J'ai du mal à réfléchir, et je ne vois pas venir la main que Warren pose sur ma cuisse. Je respire très vite. Là, c'est trop rapide pour moi. Je tourne la tête vers lui. Je dois lui dire quelque chose mais je ne sais pas quoi ni comment.

Est-ce qu'il interprète mal mon geste et ne perçoit pas mon silence tétanisé ? Il glisse sa main libre dans mon cou et attire ma tête vers lui, doucement. Je me laisse faire, comme en dehors de moi-même. Warren plaque ses lèvres contre les miennes et je sens ses doigts remonter le long de ma cuisse, sous le tissu de mon short. Sa main gauche me maintient fermement la tête pour que je garde mes lèvres contre les siennes. Lorsque sa main droite s'aventure plus haut, près de l'aine, c'est l'électrochoc. Je le repousse violemment.

Deuxième et dernière fois de ma vie que je repousse ce garçon. C'est deux fois de trop, je le sais désormais.

– Arrête !

Warren me regarde bizarrement derrière les cheveux qui lui tombent sur les yeux.

– Mais… Agathe, je comprends pas…

– C'est moi qui comprends pas ! C'est quoi ton problème ?

– Mais je te dis que tu es jolie et…

– Que tu me trouves jolie te donne le droit de me toucher alors que je veux pas ?

– Mais tu te laissais faire !

– Oui ! Enfin non ! Je me laissais faire parce que je savais pas trop ce qui se passait, t'as mis ta main comme ça sans prévenir. Et quand une fille essaie de reculer sa tête alors que toi tu la maintiens fort, j'appelle pas ça « se laisser faire » ! Ça veut dire arrête !

Warren fronce les sourcils, la mine renfrognée.

– T'es là, tu me chauffes avec ton petit short et tes chips, tu me laisses te dire des trucs que j'avais pas dit avant et, en fait, tu me mets un gros vent.

– Je te quoi ?

– Je me tire. Sale pute.

Warren attrape son sac à dos et sort en claquant la porte.

Je reste quelques instants interdite sur le canapé. Les rires de la télévision me sortent de mon hébétude. J'éteins le DVD et je vais dans ma chambre.

J'ai un besoin impérieux de me jeter sur mon lit.

Là, je peux laisser aller ma peine. Il n'y a que sous la couette, dans le noir, que je peux pleurer à gros sanglots. Le chagrin sort de moi en trombes d'eau salée, en hoquets et en gémissements. À la verticale, il ne s'épanche pas de la même façon… Je reste longtemps, très longtemps recroquevillée sur mon lit, incapable de bouger, de me lever, corps trop lourd à porter, peine au taquet, cœur en pièces, tête en friche.

Je me sens atteinte au plus profond de moi-même et peu importe qu'il ne s'agisse que d'une main sur ma cuisse, c'était déjà trop : j'ai eu peur et je me sens salie. Je frissonne.

Je ne comprends pas pourquoi Warren m'a insultée alors que je n'ai rien fait de mal. Car je n'ai rien fait de mal, hein ? Pourquoi c'est moi qui me sens si triste alors ?

Soudain, j'en ai marre de mon lit, de ma chambre, de me plaindre. J'ai tout pleuré. Cette promesse que je m'étais faite, après la soirée chez Julian, je dois la tenir. Je m'arrache de la couette.

Je me débarrasse de ce short, le jette à la poubelle, puis je m'autorise à prendre un bain bouillant et à remplir la baignoire à ras bord comme me l'interdit ma mère. Assise au fond de la baignoire, les bras autour des jambes, je laisse l'eau monter, monter, monter jusqu'à mon menton. La buée danse à chacun de mes micromouvements sous l'eau mousseuse. Je ne frotte nulle part, je n'ose pas toucher ces endroits qui se transforment, ronds et neufs, sous ma peau qui s'étire. Je fais lentement glisser ma tête sous l'eau, mes cheveux s'étalant à la surface, dorés comme un reflet de soleil sur un étang sans vague. Je laisse l'eau chaude, savonneuse et blanchâtre s'immiscer partout, faire son travail de purification, jusqu'à la tiédeur fraîche qui me chasse enfin de ce lieu confiné.

Je me sèche, enfile un jean et un T-shirt large. Devant le miroir, mon regard dur et mes traits fatigués ne vont pas avec cette chevelure blonde et sage qui descend en cascade jusqu'au milieu de mon dos. Je me regarde longtemps, immobile.

Quelqu'un frappe à la porte d'entrée. Je sursaute encore et me fige. J'ai peur que ce soit Warren. Mais j'entends une voix que je connais bien :

– Agathe ! T'es là ? Agathe, réponds, j'essaie de t'appeler depuis des heures !

La présence de Sofiane, sa voix inquiète, me font du bien.

Je me mets péniblement en mouvement, les membres encore tremblants. Je ne veux pas de Sofiane dans ma maison. Pas maintenant, pas encore. Je lui crie, derrière la porte :

– Je suis là Sofiane. Mais euh… Je me lève. Je m'habille et j'arrive.

J'entends le soupir soulagé de Sofiane.

– OK. Tu m'as fichu la trouille. Je t'attends chez moi, je laisse ouvert.

Ses pas s'éloignent.

J'attrape précipitamment une paire de ciseaux sur mon bureau, j'enfile mes tongs en un mouvement, et je cours chez Sofiane.

À mon arrivée, il lâche sa console et se précipite sur moi. Alors qu'il allait me prendre dans ses bras, il arrête son geste en croisant mon regard. Les bras ballants, il se contente de dire :

– Agathe ! Je suis content de te voir… Je… Ça va ?

– D'abord, j'ai un truc à te demander.

Je m'assieds sur une chaise, dos à lui, et je lui tends les ciseaux.

– Coupe.

– Quoi ??

– Mes cheveux. Coupe. Tout. Hyper court. Le plus que tu peux. Pose pas de question et fais ce que je te dis. S'il te plaît.

– Mais Agathe… Je ne peux pas faire ça ! Et puis je ne sais pas faire…

Je me tourne et me plonge dans son regard perdu.

– T'es mon meilleur ami ou non ? Tu te rappelles ce qu'on s'est dit ? Coûte que coûte, on respecte les décisions de l'autre, et on les défend même.

– Oui, mais…

– Sofiane, s'il te plaît.

D'une main peu assurée, mon ami attrape la paire de ciseaux.

– Vas-y.

Il prend une grande inspiration.

– Bon.

Sofiane saisit une mèche et coupe. Le chuintement des ciseaux résonne étrangement fort à mon oreille.

– Plus court.

– T'es sûre ?

– Plus court, je te dis.

Il lève les yeux au ciel et soupire. Il attrape une nouvelle mèche et recommence à couper, plus haut cette fois-ci.

J'ai l'impression d'entendre mes cheveux céder un à un sous la lame.

Lorsqu'il a terminé, je passe une main dans ma chevelure.

– C'est trop long. Coupe encore.

Sofiane jette mes ciseaux d'écolière sur la table.

– Ah non, stop ! Je ne veux pas être responsable de ce carnage ! Bordel, Agathe ! Je suis pas coiffeur moi, là on dirait Jeanne d'Arc… Tu veux voir ?

Je fais non de la tête.

– Pas encore. Je veux d'abord sentir ce que ça fait, avant de voir.

– Sentir quoi ?

– L'air sur la nuque. Les oreilles dégagées. Le poids en moins.

D'un geste brusque, je m'empare de la paire de ciseaux et commence à couper, n'importe comment, très vite, très court.

Sofiane pousse des cris horrifiés.

– Arrête, mais arrête ! Agathe !

Triomphante, je stoppe ma frénésie. Enfin, je baisse les yeux et regarde mes cheveux, éparpillés sur le parquet. Je repasse les doigts sur mon crâne et hoche la tête, satisfaite.

– Voilà. Cette fois, je peux me voir.

Sofiane ne dit plus rien, il cache sa bouche derrière ses mains.

Je me lève et me dirige vers le miroir du salon.

Sans ciller, sans rien dire, j'observe ma nouvelle tête. J'ai un petit rire.

– On dirait le petit prince avec des boutons d'acné.

Sofiane s'approche.

– C'est vrai que tu ressembles un peu à un garçon. C'est ce que tu voulais ?

– Non ! Je voulais juste les cheveux courts, tu ne vas pas t'y mettre toi aussi. J'avais juste envie de changement.

– C'est réussi… Tu voudras pas demander à ta mère d'arranger un peu le coup ?

Je tourne la tête pour tenter d'apercevoir les côtés de mon crâne.

– Peut-être…

On se regarde une fraction de seconde. Et on rit.

Sofiane me tend un grand verre d'eau fraîche et on trinque à ma nouvelle tête. Assis côte à côte sur le canapé, je me décide à lui parler. Je raconte tout. L'humiliation vécue chez Warren puis chez Julian, le sentiment de solitude. Je raconte Warren. La main de Warren. Ses mots, comme si ça ne comptait pas, comme si c'était rien, comme si c'était normal, pas si grave, rien qui compte, rien qui reste. Cette insulte. Au fur et à mesure, je vois Sofiane se décomposer.

Il ne sait rien de ce que cela fait, d'être une fille qui devient une femme. Il aura beau être mon ami, vouloir me protéger, ne pas me regarder de cette façon (sale, affligeante, humiliante), il pourra bien s'indigner avec moi de ces comportements de bête, il ne pourra jamais être à ma place et me comprendre.

– Agathe… Je suis tellement désolé. Je te jure, j'ai pas vu pour Warren. Et chez Julian, j'aurais dû dire un truc.

– Sofiane, c'est bon, c'est pas à toi de gérer ça. Tu n'es pas comme ça, je sais bien. Jessa a de la chance de t'avoir comme petit copain. Et puis, j'aurais dû répondre l'autre soir, je n'aurais pas dû me laisser faire. Deux fois, en plus, comme une grosse imbécile.

– Tu n'as pas à t'en vouloir, ce n'est pas toi l'imbécile. Tu as été super courageuse en tout cas, ce matin, avec ce connard.

– Je crois que je n'avais pas le choix. Mais j'ai eu de la chance.

Un silence s'installe. Puis Sofiane me dévisage.

– Qu'est ce qu'il y a ?

– Je serais curieux de savoir ce que va dire ta mère, quand même.

– Elle n'a rien à dire. Ce sont mes cheveux, pas les siens.

– Tu lui ressembles comme ça.

Devant mon air vexé, Sofiane sourit.

– Agathe, c'est un compliment. Il y a juste les yeux. La couleur est différente. Agathe… On n'en a jamais trop parlé, mais… tu sais qui est ton père ?

– Non. Ma mère m'a eue à seize ans. Elle m'a toujours dit, à propos de mon père, que ce n'était personne, une bête histoire même pas d'amour. Il est parti en courant quand il a su qu'elle était enceinte et ça s'arrête là. Je n'étais pas voulue, je n'étais pas attendue, elle a voulu avorter mais c'était trop tard. Ses parents l'ont jetée dehors, il a fallu qu'elle se débrouille toute seule. Heureusement, mon oncle Rémi, qui a trois ans de plus qu'elle, l'a aidée. Même si maintenant, il ne nous donne plus trop de nouvelles.

– Elle a quand même du mérite de t'élever toute seule, comme ça.

– Oui.

Je pense à toutes mes soirées solitaires, à ses «Je reste au bureau quelques heures, te couche pas tard». Ma clé dans la poche depuis mes huit ans pour rentrer seule, les mercredis chez Sofiane, les samedis où elle passe la journée à dormir, épuisée, les dimanches qu'elle passe souvent à faire des extras à la brasserie du quartier pour payer les factures et rembourser les dettes. Est-ce qu'elle m'éduque vraiment? Que sait-elle de ma vie, aujourd'hui? La peinture sur la table de la cuisine, mon premier gâteau au yaourt, les poésies qui résistent, c'est Aïssatou qui les a partagés avec moi.

– Je vais devoir y aller, Sofiane. Merci.

– Pour ta coupe de cheveux ? Mais je t'en prie. Tout le plaisir est pour moi.

Je souris.

– Merci d'être là. À demain.

– À demain.

En passant devant le miroir de l'entrée, chez moi, je sursaute en croisant mon reflet. Je m'oblige à me regarder. C'est bien. C'est mieux, même. Ça me plaît, cette bataille au-dessus de mes sourcils.

Déjà deux heures que j'attends ma mère. Lasse de tourner en rond dans la maison, je profite de la fraîcheur pour aller m'asseoir sur la balançoire, au fond du jardin. Il y a bien longtemps que je n'ai pas senti la rugosité des cordes dans mes paumes. Rien que d'y penser, je sens le feu à l'intérieur de mes mains.

Je me souviens de la sensation de liberté grisante qui m'envahissait, petite, lorsque je me balançais jusqu'à faire trembler la structure métallique. Les cheveux dans la figure, je ne distinguais rien d'autre que le bosquet duquel je m'éloignais alors, genoux pliés. Puis, les jambes et le dos à l'horizontal, je m'envolais par-dessus la haie, le vent dans la bouche et le ciel immense juste pour moi. Instinctivement, je porte mon regard sur mon coude droit. La cicatrice est belle. Ce jour-là, j'avais vu si loin. Ça en avait vraiment valu le coup.

Quand j'ai peur parfois, je me souviens de ça, de cette joie intense malgré la douleur.

– Mais Agathe, qu'est-ce que tu as fait !

Perdue dans mes pensées, le grincement des anneaux rouillés dans les oreilles, je ne l'ai pas entendue arriver.

Elle me dit ça comme si j'avais commis un crime.

– Je me suis coupé les cheveux. Ça change, c'est bien.

– Mais qu'est ce qui t'arrive en ce moment, tu fais n'importe quoi ! La boxe, les cheveux, les sorties jusqu'à pas d'heure avec Sofiane…

Ma mère a le chic pour m'énerver en une fraction de seconde.

– La boxe, c'est un sport comme un autre, ça me défoule, ça me fait du bien. Et c'est Olga qui m'entraîne. Elle m'a même donné une clé.

Ma mère fronce les sourcils. Je poursuis.

– Les cheveux, ce sont les miens, j'en fais ce que je veux. Et depuis quand tu te préoccupes de mes sorties avec Sofiane ?

– Vous grandissez. Il faut que je sois vigilante. Je sais bien comment sont les garçons, à votre âge.

Cette phrase qui ne sonne pas naturel dans sa bouche me met hors de moi.

– Arrête ça tout de suite. Je sais qui te dit ça : c'est Pauline. J'entends ses mots d'ici. Comment tu peux la croire ? Comment tu peux douter de Sofiane ? Enfin si, je sais, c'est parce que tu ne le connais pas. C'est plutôt Aïssatou qui nous a vus grandir. Elle, je l'écoute. Toi pas. Tu n'es jamais là, tu ne sais rien de moi.

Les larmes lui montent aux yeux.

– Mais tu crois quoi, Agathe ? Que je me tue à la tâche pour le plaisir ? Depuis qu'on vit ici toutes les deux je dois rembourser des dettes, payer le loyer. Je n'ai toujours pas fini de rembourser le crédit que j'ai fait pour mes études par correspondance pendant que je changeais tes couches, me levais la nuit pour toi, payais les factures et gérais la vie quotidienne. J'ai eu de la chance de trouver ce travail. Heureusement que Pauline a toujours été là, c'est mon amie, que ça te plaise ou non. Et si je fais tout ça, c'est pour toi. Pour te payer des études, un appartement, figure-toi. Pour que tu ne fasses pas les mêmes erreurs que moi.

– Je sais, que je suis une erreur.

Elle soupire.

– Je n'ai pas dit ça. Tu es ce qui m'est arrivé de mieux. Mais ça n'a pas été simple. Et tu… Je n'arrive plus à te parler, en ce moment. Tout ce que je dis te met en colère.

– Pourquoi Rémi est parti ? Pourquoi vous ne vous parlez plus ?

Ma mère s'affaisse contre le portique de la balançoire.

– Agathe, je suis fatiguée, on ne peut pas parler de ça plus tard ?

Je me dresse face à elle.

– Tu es toujours fatiguée. Tu n'as jamais le temps de me parler, de me voir, j'ai besoin de savoir. Je ne suis plus une gamine.

Elle me regarde droit dans les yeux.

– D'accord, OK. Rentrons nous asseoir.

Mes oreilles bourdonnent. Encore une conversation qui ne démarre pas vraiment comme je l'avais imaginé.

On s'installe chacune à un coin du canapé, nos pieds nus sur les coussins, face à face.

Ma mère sirote une gorgée de tisane pour se donner du courage.

– À l'annonce de ma grossesse, tes grands-parents m'ont dit de me débrouiller, que j'avais été bien assez grande pour faire ce bébé. Quand Rémi a proposé de m'héberger, j'ai accepté immédiatement, trop rassurée d'avoir un toit et une personne sur qui compter.

Je réfléchis un instant.

– Mais Rémi, il avait quoi ? Dix-neuf ans, c'est ça ?

– Oui, lui aussi c'était un enfant. Nous étions trois enfants dans un deux-pièces. Rémi avait une vie bien remplie entre ses cours, son petit job, ses amis, sa vie d'étudiant. Il n'avait pas vraiment de place pour moi et pourtant il m'en a fait une. J'avais conscience de cela.

– Et Rémi… Il s'occupait un peu de moi ?

Ma mère sourit faiblement.

– Rémi était super avec toi. Parfois, il se levait la nuit pour me laisser dormir, il lui est arrivé de te garder pour que je puisse voir quelques copines. Mais très vite je me suis retrouvée seule. Je ne partageais plus les mêmes centres d'intérêts que mes amis de lycée, je n'avais pas d'argent pour sortir, j'étais épuisée en permanence et, surtout, c'était difficile pour moi d'être séparée de toi, même quelques heures.

Je repense à mon sentiment de solitude de ces derniers jours. Je n'ose imaginer ce que devait éprouver ma mère.

– J'imagine que c'était pas simple, c'est clair.

– J'ai pourtant obtenu mon bac, la première année de ta vie. On s'en sortait pas si mal, tous les trois. Mais les choses se sont compliquées la deuxième année. Rémi avait obtenu son diplôme, il a trouvé du travail, un vrai CDI, dans une boîte intéressante, mais à Paris. Moi, je venais de décrocher un petit boulot, grâce à Pauline, rencontrée chez le pédiatre : quelques heures de vie sociale payées, la promesse d'une formation si je faisais l'affaire, peut-être un vrai contrat ensuite. C'était inespéré. Et surtout, c'était à moi. À nous. Rémi n'a pas compris à quel point c'était important pour moi.

Je demande :

– Mais il voulait quoi ? Il se doutait bien que tu n'allais pas vivre toute ta vie à ses crochets, non ?

– Il était jeune, lui aussi, et galvanisé par cette opportunité en or, son désir de Paris. Il a essayé de me convaincre de venir avec lui, il répétait qu'à Paris tout serait plus facile, qu'il y aurait plus de travail sans doute. Mais il ne comprenait pas que, moi, je n'avais pas la même vie que lui. Que les « peut-être », les « sans doute » et les « on verra bien » ne pouvaient pas faire partie de mon vocabulaire, qu'ils m'étaient interdits, depuis toi. J'ai refusé.

– Comment tu as fait, alors ?

Ma mère se crispe.

– Au début, ça n'a pas été simple. Je voulais prouver à Rémi que je pouvais me débrouiller toute seule.

J'ai cherché un logement, j'ai visité une seule fois cette maison qui sentait le renfermé. Tout était défraîchi déjà à l'époque, tu vois, mais c'était chez moi, pour la première fois. Je me suis endettée parce que je ne voulais rien devoir à personne

Je sens ma mère tendue. J'essaie de la faire sourire.

– Déjà une tête de mule, quoi.

– Plus que ça encore, tu m'aurais vue ! J'étais un bélier. Je fonçais tête baissée sans trop réfléchir. Je n'avais même pas vingt ans. Rémi ne tentait plus de me dissuader. Je crois que je l'impressionnais un peu. Il m'a aidée à déménager les quelques meubles que j'avais et puis, chacun a commencé sa nouvelle vie, l'un sans l'autre.

– Et c'est tout ? Plus de nouvelles, rien ?

– On s'envoyait un message de temps en temps, on ne prenait pas vraiment le temps de s'appeler. Je travaillais comme une dingue, j'enchaînais les heures supplémentaires la semaine et je passais mes weekends dans les brocantes et les vide-grenier pour récupérer des meubles et aménager au mieux notre petit cocon. Rémi aussi était débordé. Et puis, il était si loin. J'ai construit ma vie sans lui, et le temps a filé, tout simplement. Ensuite il y a eu l'école, et cette amitié que tu as nouée avec le garçon d'en face, à la maman si parfaite, si disponible

Ma mère me regarde.

– Je n'ai jamais cherché à me «débarrasser» de toi, Agathe. Aïssatou proposait de te garder les mercredis après-midi, de te faire à dîner et de t'aider pour les devoirs certains soirs après l'école. Grâce à ça, j'ai pu travailler encore plus, faire mes preuves, avoir un CDI. Sans doute au détriment du temps que j'aurais pu passer avec toi.

Après une gorgée de tisane, elle poursuit.

– Dans deux ans, j'aurai remboursé deux crédits, je pourrai lever le pied.

Ses yeux papillonnent, luttent contre la montée des larmes. Elle se racle la gorge.

– Mais je vais essayer de passer plus de temps avec toi. J'aime tellement ça, en plus. Nos crêpes-party me font toujours un bien fou.

– À moi aussi, M'man.

Elle jette un regard à la pendule.

– Déjà 21h… Mais… C'est pas l'heure pour des crêpes, justement ?

– Je crois bien que si !

On se lève dans un même élan. Nous avons toutes les deux besoin d'occuper nos mains, d'avoir des échanges plus légers, de retrouver une routine rassurante.

Une fois attablées devant nos crêpes, l'atmosphère est moins pesante.

– M'man, tu sais qu'il y a des gens qui font reposer la pâte à crêpes avant de les faire ?

– Les fous. Nous, on ne fera jamais un truc pareil.

Je ris, la bouche pleine de crêpe au fromage.

– Maman… Je crois que j'avais besoin de savoir tout ça. Merci. C'est ma vie aussi. Je ne veux plus que tu me prennes pour une petite fille.

– Je comprends.

Elle pose sa fourchette et tend la main vers moi. Elle arrête son geste et me regarde, comme pour me demander l'autorisation. Je lui souris. Elle me caresse la joue, la tête et les cheveux.

– Ça te va bien, cette coupe, Agathe. Il faudrait juste qu'on égalise un peu, non ?

J'acquiesce.

– J'avoue, Sofiane et moi, on n'est pas des pros.

Elle se lève et va chercher une paire de ciseaux.

– Je vais rattraper ça. Je t'ai toujours coupé les cheveux moi-même, je peux bien faire plus court.

Elle passe ses doigts dans mes cheveux, ses mains sont douces, agiles. Je ferme les yeux. Quelques minutes plus tard, elle m'entraîne vers le miroir de l'entrée.

– Alors ?

Je tourne la tête sous la lumière. C'est plutôt réussi, pour un rattrapage. On sourit chacune au reflet de l'autre. Je ne lui dirai jamais, mais Sofiane a raison : c'est vrai qu'on se ressemble, elle et moi.

Une fois au lit, je ne trouve pas le sommeil. Quelque chose trotte dans ma tête. Une idée. Une envie. J'essaie de la chasser. C'est certainement à cause de ce que m'a raconté ma mère. Ça doit juste être pour ça. Ça va me passer.

Assise sur le pont de pierre au-dessus du ruisseau, je regarde ma tong qui vient de faire le grand saut. Elle tourbillonne dans le courant, disparaît, réapparaît. D'un balancement de pied, je jette l'autre. Ça m'est égal d'être pieds nus. Et je sais où les récupérer. Elles vont rester coincées, comme à chaque fois, dans l'embrouillamini de branches et de feuilles qui forme un barrage naturel là où le cours d'eau se rétrécit.

Je reprends mon chemin sous le soleil qui frappe ma nuque. La sensation me fait étrangement frissonner. Je n'ai pas encore l'habitude de ces cheveux si courts.

Je bifurque sous les arbres, suis la rivière.

La plante de mes pieds ressent tout : le doux de l'herbe, le piquant des cailloux… La terre sèche redessine déjà les sillons de ma peau. Je plonge mes pieds dans l'eau et le dessin disparaît. Dans cette fraîcheur qui s'agite entre mes orteils, je reste un peu immobile.

Je récupère mes tongs échouées dans la verdure trempée et, mes pas chuintants d'humidité, je vais m'allonger près de Sofiane, immobile comme un lézard sur sa pierre.

Je tourne la tête vers lui, observe son profil : ses cils recourbés, la cicatrice au coin de la lèvre inférieure, ce visage que je pourrais dessiner les yeux fermés.

– À quoi tu penses, Sofiane ?

Il tourne la tête vers moi. Il m'observe.

– Agathe, j'ai l'impression que je dois faire un choix. Entre toi et la bande. Ça me débecte de passer encore du temps avec Warren. Mais la bande, c'est aussi Jessa. Et je…

Je ne le laisse pas finir. Je m'assois d'un coup.

– Sofiane, tu n'as pas à faire de choix. Je ne te demande rien. Tu n'y es pour rien si Warren est un gros con.

Il se redresse à son tour.

– Je sais Agathe, mais maintenant, ça va être compliqué de se voir tous ensemble. Je n'aime pas Warren, encore moins maintenant, tu penses bien. J'ai carrément envie de l'empoigner, je ne sais pas comment je vais faire quand je vais le revoir… Mais c'est l'ami de Julian qui est l'ami de Jessa depuis aussi longtemps que nous et…

La colère monte. Il n'a pas le droit de tout mélanger. De comparer l'amitié de Julian et Jessa avec la nôtre, qui n'a rien à voir. Choisir ? Pourquoi il parle de choisir ? On n'a pas à se choisir. On est là, l'un pour l'autre, depuis toujours et à jamais. Il ne sait donc pas ça ? Il est donc capable de me mettre dans les plateaux d'une balance ?

– Tu peux bien voir Jessa autant que tu veux. Et les autres aussi. Je ne suis pas obligée d'être là, c'est tout.

– Mais moi, j'ai envie de passer du temps avec toi. Tu es ma meilleure amie. Et j'aimerais pouvoir passer des bons moments avec ma petite copine, ses amis et ma meilleure amie. Pourquoi c'est si compliqué ?

Je soupire en entendant sa voix plaintive. Je sais que ce n'est pas ce qu'il pense, mais j'ai tout de même l'impression qu'il me reproche à moi aussi ce qui s'est passé avec Warren. Mais qu'est ce que j'y peux, moi, exactement ?

– Sofiane, c'est la vie, tout ne peut pas être parfait tout le temps, ou comme tu l'as décidé. Et puis, tu n'es pas à plaindre, regarde : tu m'as moi, tu es amoureux, tout a toujours été simple pour toi avec tes parents, ton frère…

– C'est quoi le rapport avec mes parents ?

– Laisse tomber.

L'idée de la nuit me revient, plus forte, presque impérieuse.

– Tu peux voir qui tu veux. Il est hors de question que tu te sacrifies pour moi. Tu ne me dois rien.

Sur ces mots, je me lève.

– Je te laisse, je file à la boxe.

Sofiane saute sur ses pieds, lui aussi :

– Non, mais attends, je ne veux pas encore me disputer avec toi. On se voit après ? Tu viens chez moi ou je viens ?

– Tu ne vas pas retrouver Jessa en fin d'après-midi, aujourd'hui ?

– Non. Elle ne pouvait pas. Je ne sais pas pourquoi, elle n'a rien dit. Elle a juste annulé, elle m'a juré qu'on se verrait demain et elle m'a écrit un truc super mignon. Tu veux lire ?

Non merci.

– Je n'ai pas le temps. Ce soir, je peux pas, je reste avec ma mère, j'ai promis. On se voit demain… Ou euh… plus tard. Bonjour à Jessa.

– Agathe…

Je le plante là, les bras ballants et le regard inquiet.

J'ai besoin de boxer. Une urgence.

Lorsque j'entre dans la salle, Olga me dévisage. Je mets un temps avant de comprendre : mes cheveux, c'est vrai.

– Salut Agathe. Tu ressembles à ton oncle au même âge comme ça. À part les yeux.

Ça remonte encore le long de mon œsophage, dans ma poitrine, dans le sang qui roule dans mes veines. J'en ai marre de ces ressemblances qu'on me trouve, avec ma mère, avec les attitudes d'un oncle que je ne connais pas, qu'on cherche d'où viennent mes yeux. Et toujours la même rengaine, qu'on me parle de moi petite, qu'on croie savoir mieux que moi qui je suis et d'où je viens. J'ai envie d'être toute neuve devant des gens qui ne m'auront jamais connue.

– Salut Olga. Je file mettre mes gants.

Je cogne et je danse en observant les mouvements de deux jeunes femmes qui s'entraînent. Une fois de plus, la vision des corps en mouvement, la rondeur des épaules de ces filles, leurs peaux qui luisent sous les néons, leurs grimaces farouches accélèrent les battements de mon cœur. Ces corps qui parlent et m'émeuvent. Encore un sentiment à apprivoiser. J'ai l'impression de ne faire que ça. Grandir c'est donc ça : apprendre à faire avec, bricoler pour rester droite ?

Je cogne mon sac avec force. Lorsque je m'arrête, je suis trempée d'une sueur libératrice.

Alors que je m'apprête à entrer dans le box de douche, une voix de fille s'élève de celui d'à côté.

– Merde. Merde, merde et merde.

J'hésite. Je demande.

– Euh… Tout va bien ?

– J'ai mes règles. Et c'était pas prévu. Je viens de ruiner ma serviette de toilette et j'ai eu la bonne idée de choisir un short blanc aujourd'hui. Là, je me demande comment je vais gérer le trajet jusque chez moi.

– Ah. Oui, je vois. Euh, je suis désolée, j'ai rien dans mon sac de sport. Tu veux que je demande à Olga la clé de la pharmacie ?

– Tu rigoles ! La honte !

Sa remarque me surprend.

– La honte de quoi ? Tu sais que la moitié de l'humanité est susceptible d'être dans ton cas un jour ou l'autre ?

J'entends un petit rire.

– Oui, mais quand même. C'est… Je sais pas.

– Comme tu veux. Sois je demande à Olga, sois tu enfiles tes vêtements et tu pries tout le trajet en serrant bien tout ce que tu peux. À toi de voir.

Elle rit franchement. Un joli rire communicatif qui me fait sourire.

– Olga. Olga, c'est mieux.

– Je reviens, bouge pas.

– T'inquiète, je n'en avais pas l'intention.

Lorsque je fais passer un tampon par dessus la porte du box, elle râle un peu.

– Rah, un tampon, j'ai horreur de ça, tu sais qu'il y a plein de cochonneries là dedans ? Je préfère de loin ma cup.

– Ta quoi ?

– Tu connais pas ? Une coupe menstruelle. Tu chercheras, c'est top. Il faut le coup de main pour la mettre, au début, mais quand tu es habituée, c'est super. Enfin super…

– Oui, je vois. Tu as toujours tes règles, quoi.

Encore ce rire.

– Voilà, c'est pas magique non plus.

Lorsque la porte s'ouvre, j'ai l'impression qu'il s'agit d'une fille de mon âge, plutôt banale. Ni grande ni petite, ni ronde ni maigre, ni brune ni blonde, ni pâle ni bronzée, les cheveux mi-longs, des lunettes sombres. Mais quand elle se retourne vers moi, que je vois son visage, son sourire et ses yeux, je me dis qu'elle doit être un peu exceptionnelle. Il ne peut pas en être autrement avec un regard pareil, scintillant comme une opale, son sourire en coin, et sa fossette qui donne envie de la faire sourire en permanence. Et puis ses longues mains, qui s'animent lorsqu'elle parle et lui donnent quelque chose d'aérien, comme une flamme.

— Eh bien, ravie de te rencontrer, toi qui m'as sauvée la vie et le short. Moi, c'est Billie.

— Salut Billie. Agathe.

— Tu es nouvelle à la salle ?

— Oui, je viens depuis le début des vacances seulement.

— OK. Moi, je suis là les lundis et les jeudis, à la même heure. À une prochaine, peut-être.

— Avec plaisir.

Billie lance son sac à dos sur son épaule et s'en va en me faisant un petit geste de la main.

Sous l'eau chaude de la douche, je souris de cette rencontre peu commune. J'ai envie de revoir cette fille.

Lorsque ma mère rentre, je l'accueille avec un thé glacé.

– Hum, Agathe, quelle bonne surprise !

– Salut M'man. Viens t'asseoir.

Les yeux de ma mère changent de couleur, imperceptiblement.

– Oh, quelque chose de grave ?

– J'ai quelque chose à te demander.

Elle se lave les mains, lentement, comme pour gagner du temps. Elle ne sait pas encore ce que je vais lui demander, mais j'ai l'impression qu'elle étudie plusieurs scenarii dans sa tête. Elle s'invente des questions, des réponses, comme on essaie une paire de gants en ouvrant et fermant les doigts. Elle tente de se composer un visage mais ne sait pas bien lequel choisir. Une fois assise en face de moi, elle m'interroge du regard.

— Maman, je voudrais aller voir Rémi, à Paris. Là, maintenant, pendant les vacances. J'ai un peu d'argent. Je peux participer pour le billet de train. Et le reste, je te rembourserai.

— Mais… Pourquoi ?

— J'ai envie de le connaître. Tu n'es pas obligée de lui parler si tu ne veux pas. Je suis capable de me débrouiller toute seule. Et puis, j'ai besoin d'air, aussi. Allez, fais-moi confiance. Laisse-moi l'appeler.

— Je ne suis pas sûre qu'il accepte, Agathe. Il n'a pas donné de nouvelles depuis longtemps. Il travaille, il est occupé. J'ai peur que tu sois déçue. Je ne sais pas où il habite et…

Je la coupe.

— Si je ne l'appelle pas, je ne saurai pas.

Elle prend son temps pour répondre. Elle regarde ses mains, immobiles, posées l'une sur l'autre comme oubliées sur la table.

— Je… Oui, pour quelques jours de vacances, d'accord. Je pense que tu as le droit de connaître ton oncle. Et puis, je te connais, tu ne lâcheras rien tant que je n'aurai pas accepté, n'est-ce pas ?

Je souris.

— Exactement.

C'est comme si un barrage cédait à l'intérieur de mon corps. Je sens à nouveau le sang circuler partout. J'avais besoin de son approbation, pas envie de me battre, de me justifier, de trouver des raisons, des excuses.

– Merci, Maman.

Ma mère cherche le numéro de Rémi dans son répertoire et me tend son téléphone. Elle s'éloigne de quelques pas, les bras croisés, les yeux baissés comme si elle attendait que passe l'averse.

Mes doigts tremblent. La sonnerie me fait sursauter alors que c'est moi qui appelle.

– Allo ?

– Euh… Rémi ?

– Oui ?

– C'est Agathe.

– Agathe !

Comme une surprise ou du soulagement.

– Bonjour.

– Salut, Agathe. Comment vas-tu ? Il s'est passé quelque chose ?

– Non, non, tout va bien. C'est que… C'est les vacances et je…

Je prends une grande inspiration.

– En fait, j'ai longuement parlé avec ma mère. Et j'ai envie de te revoir... te rencontrer, même. Tu crois que je pourrais te rendre visite ? Genre là, pendant les vacances ?

– Oh... mais bien sûr. Avec plaisir Agathe. Je ... Je suis content de t'entendre. Je travaille, mais je peux m'arranger pour finir plus tôt quelque temps. Peut-être même prendre quelques jours. Comment va Eva ?

Je jette un coup d'œil à ma mère. Elle serre les rebords de l'évier tellement fort que ses jointures palissent.

– Euh... Elle va bien.

Rémi laisse passer quelques secondes de silence.

– D'accord. Tu pourrais venir début août ?

C'est toujours décevant, ces réponses d'adultes, qui diffèrent, qui anticipent, qui s'organisent. J'aurais bien aimé qu'il me dise « Tu peux venir demain, ou tout de suite, là, maintenant ? ». Mais je ravale ma déception.

– Oui, d'accord. Je vais prendre des billets de train et je te dirai quand j'arrive.

– Agathe ? C'est une très bonne surprise. Je suis content de te voir. Si tu préfères venir avec un ou une amie, tu peux. Ce n'est pas bien grand, mais j'ai une petite chambre d'amis.

Je pense à Sofiane, une seconde. Mais je ne peux pas le lui proposer. Il y a encore quelques semaines, partir tous les deux à l'aventure pour Paris aurait été une fête, un évènement exceptionnel. Aujourd'hui, j'ai trop peur de son refus. Et je crois que j'ai aussi besoin de vivre des choses toute seule.

– Non, c'est bon, je viendrai seule, je n'ai pas peur. À bientôt, Rémi.

– À bientôt, Agathe.

Je raccroche. Ma mère se détend et relève la tête. Je lui lance, déterminée pour éviter qu'elle ne s'oppose :

– Demain, je vais acheter un billet. Je pars la première semaine d'août. J'ai vu sur Internet, il y a un TGV direct qui arrive à 10 heures à Paris, tous les samedis.

Ma mère est surprise.

– Tu t'es renseignée sur tout ?

– J'ai vraiment envie d'y aller. Si tu ne peux pas m'emmener à la gare le samedi, je prendrai le bus, t'inquiète.

Elle secoue la tête.

– Non, Agathe, je t'emmènerai bien sûr. Et je te donnerai ce qu'il faut pour le billet. Pourquoi tu ne proposes pas à Sofiane de t'accompagner ?

– J'ai envie de passer du temps seule avec Rémi. Et…
Sofiane a une petite amie.

– Oh.

Quelque chose se détend sur le visage de ma mère.
C'est à moi de me crisper.

– Quoi ?

– Rien. Je comprends mieux pourquoi tu veux partir
aussi vite.

– Ça n'a rien à voir. J'ai vraiment envie de voir Rémi.
Sofiane fait bien ce qu'il veut et je suis ravie pour lui.

Ma mère lève les yeux au ciel.

– OK, OK.

Je détourne le regard pour ne pas apercevoir son
sourire. Je file m'enfermer dans ma chambre. Je suis
en colère parce qu'elle a peut-être un peu raison. Mais
j'ai aussi réellement besoin de changer d'air. Et envie
de rencontrer Rémi. Et terriblement envie de voir si
je vais manquer à Sofiane, durant ces quelques jours
d'absence. Mais j'ai également peur d'y aller toute
seule. Casque sur les oreilles, musique trop forte mais
tant pis, je répète le ballet de coups et d'esquives appris
avec Olga. Les yeux fermés, je combats un adversaire
imaginaire, en remportant tous les rounds.

Lorsque j'arrive devant le centre aquatique, Sofiane, Jessa et Laure y sont déjà.

– Désolée, je ne retrouvais plus ma serviette, on peut y aller.

Laure secoue la tête.

– T'inquiète, tu n'es pas la dernière, on attend les garçons.

J'échange un rapide regard étonné avec Sofiane. C'est lui qui demande :

– Les garçons ?

– Julian et Warren. Je leur ai envoyé un message pour leur dire qu'on avait prévu ta piscine aujourd'hui, ils m'ont répondu qu'ils viendraient.

Sofiane bredouille.

– Mais… On n'avait pas dit qu'on devait se faire une petite sortie tous les quatre ?

C'est au tour de Jessa et Laure d'échanger un regard. Une conversation rapide et silencieuse que je déteste immédiatement. C'est un regard un peu moqueur. Elles ignorent que Sofiane cherche simplement à me protéger. Jessa lui pose la main sur l'épaule.

– Euh Sofiane… C'est encore plus cool si on est plusieurs.

La remarque finit de me glacer.

Sofiane n'a pas le temps de réagir, Julian et Warren arrivent déjà en scooter. Quand ce dernier ôte son casque, mon ventre se crispe. C'est incroyable ce que le corps peut dire. Ce qu'il prend comme place, quand il n'y a plus de mots. Le contact de la main de Warren sur ma cuisse me revient comme une gifle. Je respire vite malgré moi. Julian embrasse tout le monde.

– Salut! Bonne idée, la piscine!

Warren ne me regarde pas, mais il est souriant, détendu, il plaisante avec Laure. J'ai envie de me jeter sur lui. Il m'a touchée sans mon consentement, il m'a insultée, humiliée et tout est aussi simple? Il n'est pas gêné? Sa petite vie continue, tranquille? Comment fait-il, pour ne pas se dire que ce qu'il a fait était dégueulasse? Comment n'a-t-il pas honte, d'être là, à mes côtés, droit comme un I et fier comme un paon ? Pourquoi suis-je la seule à être si mal ?

Jessa pose sa main sur mon bras :

– Ça va Agathe ? Tu es toute pâle.

– Bof. Je crois que je vais rentrer. Quelque chose me donne envie de vomir.

– Tu as raison, sauve-toi. Personne ici n'a envie de te voir dégueuler, lance Warren.

Il n'a pas le temps d'ajouter le petit rire amer accompagné du jeté de mèche qu'il avait prévu. Sofiane l'attrape par le col et le fait presque décoller du sol en le plaquant contre le mur.

– Fais pas le malin, gros pervers. Je sais ce que tu as fait à Agathe. Et la seule chose qui m'empêche de te refaire ta sale gueule de frustré, c'est que je n'ai pas envie de me retrouver chez les flics à cause d'une merde comme toi.

Julian tente de s'interposer.

– Du calme ! Qu'est ce que tu racontes ?

Jessa et Laure restent interdites et regardent la scène les yeux écarquillés.

Peut-être que je devrais intervenir et raconter moi-même. Sans doute. Mais je n'en ai pas la force. La peur que j'avais ressentie ce matin-là me serre toujours les entrailles. J'ai besoin d'être loin de lui. Sans un mot, j'enfourche mon vélo et pédale à toute vitesse vers la salle de boxe.

Olga me prête des chaussures et je m'en vais combattre mes douleurs en cognant sur un sac au fond de la salle. Des larmes que je n'essuie pas coulent sans bruit sur mon visage.

— Joli jeu de jambes.

Je me retourne pour voir Billie.

— Tu as la grosse forme, toi, on dirait.

— Ça va…

— Je vois ça. On s'entraîne une heure et on va boire un verre ?

J'accepte avant de reprendre mon combat. Je me concentre sur les mouvements, sur ce que je ressens. Ce sport me fait du bien. Il met mon corps et ma tête au diapason, ils cohabitent mieux, ils se comprennent presque. J'aime la douleur dans les cuisses et les épaules, mes bras que je sens se muscler, mes abdominaux qui se contractent. J'ai l'impression d'avoir une emprise sur cette silhouette qui m'échappe, on apprend à se connaître, toutes les deux. J'oublie la piscine, Warren, les autres.

Avant la douche, je prends soin d'éteindre mon téléphone qui n'arrête pas de sonner. J'ai besoin de temps avant de tous les affronter.

Avec Billie, c'est simple. On découvre qu'on aime les mêmes livres, mais pas les mêmes films. On a le même humour et une façon différente d'aborder la nouveauté. C'est agréable d'échanger avec elle, d'écouter une voix nouvelle, pleine de promesses et de futures découvertes. Billie élargit mon univers, avec sa fossette et ses yeux malicieux. Je me laisse aller et lui parle comme si je la connaissais depuis toujours. Je parle de ma mère et de Sofiane, de Rémi, de ce que j'ai fui, juste avant de venir au club.

Billie me parle de ses petites sœurs jumelles, qui l'étouffent mais qu'elle adore, me raconte son premier chagrin d'amour, quand elle s'est fait larguer par un SMS de la sœur du meilleur ami de son petit copain. On rit, mais elle me dit combien ça l'a blessée, comme elle s'est sentie humiliée, nulle, moche et idiote.

– Le pire, c'est de se rendre compte qu'on se sent comme ça à cause d'un type de treize ans qui n'a même pas le courage de te dire les choses en face. C'est là, qu'en plus, tu te sens ridicule.

– Tu as raison. C'est vraiment nul, l'amour, les garçons, tout ce bordel.

– Ne dis pas ça. Il ne faut pas faire de généralités. D'ailleurs, tu ferais bien d'appeler ton copain Sofiane, non?

– Tu as encore raison.

Billie m'offre un de ses sourires à fossette et se lève.

– Je file. Je suis contente de t'avoir rencontrée, c'est comme si on se connaissait depuis des années, c'est bizarre.

– C'est vrai. Il faut croire qu'il y a des gens, comme ça, qui sont faits pour se trouver. On se voit jeudi?

– Boxe et Coca?

– Parfait!

La perspective de passer à nouveau du temps avec Billie me donne la force de parler à Sofiane. Sur le chemin, je prends le temps d'imaginer notre conversation dans ma tête. J'excelle dans ce domaine, mes dialogues imaginaires sont toujours percutants, justes et intelligents et les autres répondent exactement ce que j'attends d'eux.

Mais je n'ai pas besoin d'appeler Sofiane. Il est assis contre ma porte d'entrée.

– Agathe ! Tu étais où, tout ce temps ? On t'a attendue tout l'après-midi ! Je t'ai laissé un million de messages ! Jessa vient juste de partir.

Intérieurement, je me félicite d'être rentrée si tard.

– Désolée, mais j'ai eu envie de boxer. Et puis je suis allée boire un verre avec Billie, c'était chouette, on n'a pas vu le temps passer.

– Billie ?

– Une copine de la boxe.

Sofiane ne comprend rien et je vois la fatigue et l'inquiétude sur ses traits. Je me rappelle ce qu'il a fait, devant le centre aquatique, et je m'en veux d'avoir été égoïste. J'aurais dû l'appeler, le rassurer.

– Excuse-moi, Sofiane. J'ai pété un plomb en voyant Warren. J'ai vraiment eu besoin de cet après-midi loin de lui, de cette histoire. Merci pour ce que tu as fait pour moi. C'était… Tu as fait ce que je voulais faire mais je ne pouvais pas. J'étais clouée au sol avec du plomb dans le ventre.

Sofiane rit.

– Valait mieux pas que ce soit toi. Avec tes cours de boxe, tu lui aurais refait la mâchoire.

– Je ne veux même pas que mon poing le touche.

– Tu as raison. Quand j'ai entendu sa remarque, quand j'ai vu qu'il ne te calculait même pas, je ne sais pas ce que ça m'a fait. C'était comme une décharge électrique. J'ai raconté, Agathe, je n'avais pas le choix. Jessa l'a insulté comme pas possible, tu aurais dû voir ça… Laure n'a rien dit parce que je crois qu'elle aime beaucoup Warren, mais ça l'a dégoûtée. Quant à Julian… Je ne sais pas trop. Il avait l'air mal à l'aise. Il n'a pas vraiment eu la réaction que je pensais. Faut dire que Warren est son meilleur ami, ça fiche un coup, d'apprendre que c'est une ordure. Il est reparti en scooter avec lui.

– Et l'autre con ?

– Lui, il a commencé par nier comme un gros lâche, tu penses bien. Puis à dire que tu avais exagéré, que tu savais pas ce que tu voulais, que t'étais une allumeuse. Mais Jessa l'a remis à sa place en lui expliquant que même un effleurement du bout d'un doigt n'était pas acceptable.

– Il s'est excusé ?

– Non. Il a fermé sa bouche et rangé sa mèche avec moins d'emphase que d'habitude, puis Julian et lui sont partis.

Assis côte à côte sur le canapé, on reste un moment silencieux. Nos épaules se touchent et je sens contre moi le poids de ce corps qui compte pour moi, sa chaleur, son odeur familière, sa fiabilité. Je pense que c'est le bon moment pour lui annoncer la nouvelle.

– Sofiane, au mois d'août, je vais une semaine à Paris, chez mon oncle.

Je scrute sa réaction du coin de l'œil.

Je ne sais pas à quoi je m'attendais. Enfin, si. J'aurais aimé le sentir déstabilisé. Qu'il soit étonné, un peu triste de ne pas me voir pendant une semaine. Je m'attendais à ce qu'il cherche à me retenir. J'espérais secrètement qu'il serait déçu, qu'il se plaigne de ce temps de vacances qu'on ne passerait pas ensemble, qu'il montre un brin de nostalgie. Surtout, j'aurais bien aimé le voir me demander timidement s'il pouvait venir. Mais Sofiane ne bouge pas d'un cil. Je ne vois rien passer sur son visage.

– Je suis content pour toi, Agathe. C'est bien que tu retrouves ton oncle. Tu me raconteras.

Je laisse planer un petit silence pour qu'il puisse ajouter quelque chose. Lui accorder une seconde chance. Mais rien ne vient.

– Je te raconterai.

Lorsqu'il se lève, je me prépare à affronter son regard, j'ai préparé mon air buté. Mais Sofiane ne me regarde pas. Les yeux au sol, il me dit, très vite.

– J'y vais, ma mère va bientôt rentrer.

Il s'éloigne comme ça, sans la moindre émotion. Je lui aurais dit que j'allais chercher le pain, ça aurait été pareil. Très bien. Je vais passer à autre chose, moi aussi. Je prends mon téléphone et écris à Billie, à toute vitesse.

Heureusement, j'ai Billie. Ma bouffée d'oxygène quand j'étouffe sans Sofiane. On passe de plus en plus de temps toutes les deux, sur Whatsapp. Notre relation a pris une tournure encore plus intime, plus profonde, grâce à l'écrit. Billie est souvent obligée de garder ses petites sœurs. Alors on échange par messages, à n'importe quelle heure et sur n'importe quel sujet. Tout est prétexte à partager, à écrire, comme un journal intime. On se pose des questions qu'on n'oserait peut-être pas se poser en face à face, on se rassure aussi à coup de «c'est normal si» et de «c'est pareil pour moi». Et lorsqu'on se retrouve à la boxe, on poursuit notre conversation sans même se dire bonjour.

Après un énième fou rire, alors qu'on s'apprête à se quitter, je demande à Billie :

– Ça te dirait, de venir à Paris une semaine avec moi ?

– Quoi ?

– Tu sais, chez mon oncle. Viens manger chez moi ce soir et on en parle à ma mère.

– Euh… D'accord il faut aussi que je prévienne mes parents.

Elle rit et me serre dans ses bras, très vite. Je souris jusqu'à en avoir mal aux commissures des lèvres. Billie ne me déçoit pas. Elle dit «OK», elle dit «Tout de suite» et elle me serre fort.

Sur le chemin de la maison, on parle en même temps, sans arrêt, le souffle court parce qu'on marche vite. Un rien nous amuse, on se dit qu'on est folles, que ça va être trop bien, on se projette dans cette grande ville inconnue, on rêve et on espère tant que ce soit possible. Je me sens légère et, dans le reflet des vitrines des magasins, je nous trouve belles, un peu exaltées.

On s'active dans la cuisine pour préparer des pâtes à la carbonara et bricoler une salade de fruits. L'adrénaline est retombée et j'appréhende un peu la réaction de ma mère, que je m'apprête à mettre devant le fait accompli, en présence d'une inconnue, qui plus est. Billie me remotive. Elle répète que tant qu'on n'a pas essayé, tant qu'on n'a pas essuyé de refus, tout est toujours jouable.

Lorsque ma mère passe la porte, je n'ai jamais vu ses sourcils aussi haut perchés.

– Euh… Bonjour les filles…

– Maman, je te présente Billie, tu sais, ma copine de la boxe.

– Bonjour madame ! sourit Billie de toute sa fossette.

– Bonjour Billie. J'ai beaucoup entendu parler de toi. Ravie de te rencontrer. Tu dînes avec nous ?

– Oui, M'man, en fait, je voulais que tu la rencontres parce que j'ai quelque… On a quelque chose à te demander.

– Vous deux ? À me demander ?

Billie sourit toujours, mais je sens son courage faiblir. Je garde le contrôle.

– Oui, c'est parce que… J'aimerais qu'elle vienne avec moi à Paris. Rémi est d'accord. Je l'ai appelé en rentrant.

– Mais… Je ne sais pas… Et tes parents, Billie ?

– Justement, on a prévu de leur téléphoner tout à l'heure…

– On compte sur toi pour les rassurer.

Ma mère se laisse tomber sur une chaise.

– Mais les filles…

Avec Billie, on se regarde. C'est le moment de passer à l'offensive. On ne la laisse pas cogiter. On la sert, on lui parle, on lui dit combien ce sera mieux de voyager à deux, on lui répète que ce sera plus rassurant, je lui confirme que Rémi est soulagé de ne pas me savoir seule quand il devra aller travailler. J'insiste sur le fait que ça me rassure aussi : après tout, mon oncle est quasiment un inconnu pour moi. Enfin, quand je vois qu'elle a épuisé toutes ses questions, que je remarque le petit affaissement de ses épaules, celui qui signifie qu'elle capitule, on la supplie :

– C'est les vacances, on sera raisonnables et polies et serviables et on se couchera pas trop tard et…

Ma mère finit par céder, un petit sourire sur les lèvres, et accepte d'appeler les parents de Billie.

Elle leur parle longuement au téléphone tandis que Billie et moi attendons, serrées l'une contre l'autre comme des moineaux sur un fil électrique. Elle raccroche enfin.

– C'est d'accord.

On explose de joie et on se met à danser, sous les rires de ma mère.

Aux abords de Paris, tout me semble exotique et neuf : le bitume gris, les immeubles poussiéreux, les échangeurs au loin, les enseignes aux néons fatigués. J'écarquille les yeux, le nez collé à la vitre du train. Billie s'agite à mes côtés et bavarde sans arrêt. Quand le train s'arrête, mon cœur bat très fort. La dernière fois que j'ai vu mon oncle, j'avais trois ans. Autant dire que c'était dans une autre vie. On se fraie un chemin dans la foule pour rejoindre le hall de la gare et retrouver Rémi. Je m'apprête à lui envoyer un message, quand un homme s'approche de nous en souriant. Rémi est grand, il a les cheveux coupés très court, une calvitie naissante, une barbe de quelques jours, poivre et sel, et les mêmes yeux vert foncé que ma mère.

– Bonjour Agathe. Et bonjour Billie.

Il sourit, les mains dans les poches, sans essayer de se pencher vers nous, sans essayer de nous toucher, faisant presque attention à ne pas nous effleurer.

– Bonjour Rémi.

– Bonjour monsieur.

– Non Billie, appelle-moi Rémi, surtout! En route les filles.

On suit Rémi dans les entrailles de la gare. Il y a du bruit, des gens partout qui vont vite et quelque part. Pas de langueur ici. Ça sent tout ce que j'ai vu par la fenêtre du train : la nourriture, le métal et un mélange de parfums. Je trottine derrière mon oncle dans les dédales du métro, quatre pas rapides quand il n'en fait que deux, très intimidée par les bruits inhabituels, les gens, le décor. Dans le métro, on s'accroche tous les trois à la même barre. Billie est étrangement silencieuse.

– Je suis à cinq stations. Ce n'est pas bien grand chez moi, mais vous verrez, j'ai un petit balcon.

– D'accord.

On ne se dit plus rien parce que le lieu et le mouvement ne se prêtent pas aux discussions ni à la moindre intimité. Enfin on sort de la bouche du métro.

Paris me gifle avec ses rues larges et fraîches. Je prends un instant pour imprimer en moi ce moment tout neuf. Je prends le gris du trottoir, le martellement des talons de cette femme, l'odeur de café et les bruits de vaisselle de la brasserie, je prends l'empressement des serveurs en noir et blanc, l'horizon coupé par des devantures de commerces et les fenêtres à perte de vue. Je prends mon cœur que je n'ai jamais autant entendu que ces derniers jours, la lumière de l'instant, moins franche que dans mon Sud habituel, je prends les voitures qui filent, la signalisation partout, les trottinettes et les Vélib. Je prends pour plus tard. Pour me souvenir, les dimanches d'ennui dans ma petite chambre.

Rémi s'arrête auprès de moi.

– C'est la première fois que tu viens à Paris ?

– Oui. Je ne connais que ma petite ville du Sud.

– Bienvenue, alors. Et toi, Billie ?

J'aime bien cette façon qu'il a de ne pas la laisser de côté, de s'intéresser à elle, avec tact.

– Moi, j'ai de la famille à Paris, on vient de temps en temps avec mes parents et mes sœurs.

Rémi habite au troisième étage d'un immeuble qui ressemble à tous les autres autour de lui. L'appartement est petit mais accueillant. Près du canapé, Rémi s'arrête devant une porte coulissante que je prends pour un placard.

– Et je vous montre mon petit coin de paradis ?

– Un placard ?

Rémi hausse les sourcils, amusé. Il pousse la porte et m'invite à venir voir. De l'autre côté, un petit espace est aménagé en bureau. La porte-fenêtre qui donne sur un minuscule balcon inonde de lumière la plaque vitrée qui tient lieu de table de travail à mon oncle. Un hamac est fixé entre le mur et une poutre.

Je m'approche de la porte, sors sur le balcon. En dessous, une petite cour, avec un arbre qui s'ennuie au milieu. Comme s'il lisait dans mes pensées, Rémi s'approche et dit :

– Bon, c'est pas le jardin du Luxembourg, mais, quand tu es dans le hamac et que tu te relèves sur un coude, que le ciel est dégagé des particules polluées, tu peux apercevoir la pointe du dôme du Sacré-Cœur.

Ses yeux plissés m'indiquent qu'il s'agit bien de second degré.

– Tu es un sacré veinard.

Rémi rit franchement.

— Allez ! Je vous montre votre chambre et je vous laisse vous installer tranquillement.

Lorsqu'il ferme la porte de la petite chambre, on se sourit avec Billie. Sans le dire, on sait toutes les deux que nous sommes soulagées.

— Merci Billie. D'être venue. Je me rends compte à quel point ça doit être bizarre pour toi… Chez l'oncle inconnu d'une fille que tu connais depuis deux semaines…

Elle me prend les mains. Ses paumes chaudes comme un baume sur mes peurs.

— On s'en fiche de ça, Agathe. Tu sais plus de choses sur moi que beaucoup de gens que je connais depuis des années !

Je souris.

— On va profiter à fond de nos vacances parisiennes, d'accord ?

— Évidemment !

On discute longtemps dans le petit salon de Rémi. On parle d'abord timidement de notre quotidien. C'est toujours comme ça, avec les gens qu'on ne connaît pas, on se rattache à ce que l'on connaît bien. Je parle de mon collège, Billie du sien, je parle de Sofiane, elle parle de ses sœurs. Je parle de la boxe et d'Olga.

– Olga ?

Je m'étonne que Rémi ait oublié cette femme hors normes selon moi. Ça me vexe un peu, je trouve que c'est injuste.

– Olga, oui. Les cheveux roses depuis toujours, tatouée, dans les 1 mètre 85. Elle me parle encore de toi. C'est elle qui va m'entraîner, elle m'a même donné une clé, parce qu'elle se souvenait de toi, justement.

Rémi doit sentir mon agacement. Il prend quelques instants pour chercher dans ses souvenirs. Enfin, il hoche la tête.

– Olga ! Oui, si, je me rappelle… Exigeante, tenace et un peu originale. Super coach. C'est loin, tout ça. J'ai arrêté la boxe une fois arrivé à Paris. Je n'avais plus le temps.

Billie part s'isoler un moment pour appeler ses parents. Rémi profite de ce tête-à-tête pour poser la question à laquelle on pense tous les deux. Je suis soulagée qu'il en parle en premier. Parfois on passe à côté des choses, de l'essentiel parce qu'on n'ose pas, ça reste coincé quelque part en nous.

– Et Eva, comment va-t-elle ? Je pense à vous, tu sais. Mais… Je ne sais pas, je n'arrive pas à téléphoner. Peut-être qu'elle m'en veut…

Je me recule contre le dossier de la chaise.

– Non, elle ne t'en veut pas. Elle m'a raconté : son déménagement, ton départ pour Paris, tout ça. Et puis le temps qui passe et les messages de moins en moins fréquents. Jusqu'à ce qu'elle n'ose plus t'appeler. Que ça ne soit plus un truc naturel.

Mon oncle me fixe.

– Tu as raison, Agathe. Eva et moi, on ne sait plus trop comment se retrouver, on attend vaguement que l'un ou l'autre fasse le premier pas.

Rémi se tait, il me regarde. Je crois qu'il attend que je lui dise un truc rassurant : que ce n'est pas grave, que l'important c'est de se retrouver ou quelque chose comme ça. Mais je ne réponds rien.

Il poursuit.

– Tu sais, je suis un peu ours : je vis seul, sans femme et sans enfant parce que c'est un choix que j'ai fait. Je ne fais pas beaucoup de concessions. Mais je suis content que tu aies eu plus de courage qu'Eva et moi.

Je ne m'attendais pas à une telle franchise. Je reste silencieuse, je me contente de hocher la tête, timidement.

Le soir, allongée sur le grand lit à côté de Billie qui bouquine, je consulte mes messages. Jessa me souhaite de bonnes vacances. Ma mère m'écrit de passer une bonne nuit et espère que je vais bien. Rien de Sofiane. Mon cœur se serre. Il me manque. Et je comprends. S'il ne m'a pas écrit, ce n'est pas parce qu'il s'en fiche. C'est parce qu'il a de la peine. C'est pour ça, aussi, qu'il ne m'a pas regardée, quand je lui ai dit que je partais. Je l'appellerai demain. Peut-être.

Rémi a pris quelques jours de congé.

On flâne dans les musées, les parcs et les rues parisiens. On discute de tout et de rien, de musique, de cinéma et de BD, et parfois de choses plus sérieuses. Il nous parle d'égal à égales, nous donne son avis sur des faits politiques, demande le nôtre. Parfois, il nous brusque un peu avec sa façon abrupte de nous rabattre le caquet, et se désespère de notre manque de connaissances historiques, politiques ou culturelles. Rémi oublie souvent que l'on n'a que quatorze ans et on adore qu'il l'oublie. Billie apprécie beaucoup mon oncle. Elle ose parfois une taquinerie, ou un compliment qui gêne Rémi. J'admire son naturel, elle est si rapidement à l'aise avec les gens et la vie en général.

Moi, il me faudra du temps avant d'apprivoiser parfaitement Rémi. J'ai grandi sans père et je vois bien que Rémi est différent de la seule image paternelle que j'ai :

Ilan, le père de Sofiane. J'ai d'Ilan une vision floue : l'air affable, mais absent, maladroit parfois, presque distant comme un personnage d'arrière-plan. Je ne sais pas s'il s'agit véritablement de la personnalité d'Ilan. Je m'interroge depuis ma rencontre avec Rémi. Il s'intéresse pour de vrai, s'agace, s'amuse, agit, prend des décisions. Je me rends compte que les hommes sont aussi complexes que les femmes, aussi multiples, aussi différents. Je les avais toujours crus un peu moins téméraires, un peu plus lisses.

C'est notre dernière journée à Paris. Comme tous les jours en fin d'après-midi, Rémi nous autorise à aller seules, à pied, jusqu'aux quais de Seine. On raffole de ce petit moment de liberté propice aux confidences.

Finalement, je n'ai pas appelé Sofiane cette semaine. Lui non plus, n'a pas essayé. On s'envoie quelques SMS, quelques photos, on plaisante. On ne parle pas de ce qu'on fait, de ce qu'on ressent. Il ne parle pas de son amoureuse, je ne parle pas de ma nouvelle amie si importante, avec qui je passe de si bons moments. On ne discute pas de l'essentiel, parce qu'on est trop loin et que c'est trop important. C'est exactement ce qui fait qu'on reste proches malgré tout. On sait ce qu'on tait. On cherche juste à se faire plaisir, un instant, comme un bonbon. S'envoyer une photo amusante, c'est se dire : « Tu vois je suis là, je pense à toi même si je fais des choses différentes », c'est maintenir le lien, jamais rien qui pourrait ressembler à un au revoir. Billie trouve qu'on a de la chance d'avoir cette relation tous les deux et ça la rend encore plus précieuse à mes yeux.

Pour la dernière fois avec Billie, on prend le temps de regarder les bateaux mouches qui glissent sur l'eau verte, on flâne. Perdue dans mes pensées, je sursaute en entendant :

– Bonjour mesdemoiselles.

C'est un jeune homme d'une vingtaine d'années, qui s'approche et marche à notre hauteur.

Je murmure un bonjour et je presse le pas. Billie fait de même sans dire un mot. Il adopte le même rythme que nous.

– Vous allez où comme ça, pour être si pressées ?

On ne répond pas, on ne le regarde pas, on l'ignore de toutes nos forces, comme si ça pouvait le faire disparaître. Je ne sais pas quoi lui dire, ce qu'il attend, ce qu'il recherche. Je ne comprends pas ces regards et ces appels dans la rue, le métro, les cafés.

Sa voix se fait plus douce.

– Vous avez peur de moi ? Il ne faut pas. Je ne voulais pas vous effrayer. Je vous laisse, mais vous êtes charmantes, mesdemoiselles.

Le jeune homme traverse la rue. Sans même se consulter, Billie et moi faisons demi-tour pour rentrer chez Rémi. On s'est rapprochées l'une de l'autre. Billie se retourne pour vérifier qu'il ne nous suit pas.

– Pfiou. J'aime pas ça. Ça me fait peur.

– Moi aussi. C'est super déstabilisant.

– Une fois, un homme s'est assis sur le siège à côté de moi dans un bus vide. J'ai changé de place, je suis restée debout, mais il s'est levé et s'est placé juste derrière moi. Je suis descendue au premier arrêt, j'ai fini à pied. Il m'a vraiment fichu la frousse.

Billie m'avoue cette aventure en baissant la voix, comme si c'était mal, comme si elle avait fait une bêtise. Je repense à mon malaise face à Warren. J'attrape le bras de Billie et je lui souris :

– On devrait plus avoir peur comme ça. On va prendre notre revanche. Et ça commence en musique.

On court jusque chez Rémi. Je branche mon téléphone à la chaîne hi-fi et monte le son.

Billie reconnaît la mélodie dès la première seconde.

On se regarde et on se met à chanter fort et faux comme il se doit sur la voix d'Angèle :

Bah faudrait p't'être casser les codes

Une fille qui l'ouvre ça serait normal

Balance ton quoi

Même si tu parles mal des filles je sais qu'au fond t'as compris

Balance ton quoi

On se déhanche sur la musique, on n'est pas en rythme et on se fiche bien de ressembler à deux déglinguées. On se libère, on lâche prise, on rit aux larmes, à en tomber par terre. Et on y croit :

Un jour peut-être ça changera

Balance ton quoi

Rémi lève des yeux blasés en soupirant derrière son ordinateur. Mais je continue de rire. J'ai vu le sourire amusé au coin de ses lèvres.

Cela fait presque 48 heures que je suis de retour dans ma petite ville, et ma valise n'est toujours pas complètement vidée. Je la garde béante pour laisser les vacances s'étirer jusqu'au bout. Je conserve comme des reliques un ticket de métro, une entrée au Louvre, quatre photos de Billie et moi réalisées dans un photomaton. Je glisse ces trésors dans mon portefeuille. C'est à moi. Ça a existé. Je les regarde de temps en temps parce que très vite, ma vie d'ici m'a happée. Les habitudes m'ont rattrapée.

De retour dans ma vie, ma chambre, ma vue sur le jardin de Sofiane. Depuis mon réveil, je l'épie derrière le rideau, je trépigne, je me demande ce qu'il fait, pourquoi il ne vient pas, pourquoi il ne se précipite pas alors qu'il sait que je suis là. On ne s'est pas encore revus. J'ai d'abord passé du temps avec ma mère, dimanche. Et ce matin, je me suis décidée à lui écrire :

Enfin, tu as repeint le portail. C'est pas mal, même si tu ne me la feras pas : il n'y a qu'une couche sur la dernière latte de bois.

Il a mis un temps de dingue avant de me lire. Au moins douze longues minutes durant lesquelles je me suis imaginée qu'il n'était pas chez lui, qu'il avait peut-être changé de numéro entre vendredi soir et ce matin, qu'il s'était passé quelque chose dont je n'étais pas au courant.

Enfin, sa mini photo.

Et tout de suite :

Je compte sur toi. Ce sera notre petit secret. J'arrive.

Je l'aperçois. Il sort de chez lui en courant et ouvre ma porte sans frapper. Il a encore grandi, j'ai l'impression. Un duvet noir ombre son menton.

On se fait deux bises. Il me regarde.

— Tu as changé. Tu as grandi. Tes cheveux ont déjà repoussé.

Je retrouve avec délice son odeur de lessive. C'est bon d'avoir des gens que l'on connaît par cœur.

J'ose :

— On passe la journée ensemble ? Ou tu as peut-être prévu de voir Jessa ou d'autres. Je comprendrai, tu sais.

Sofiane secoue la tête.

– J'ai prévenu tout le monde. Aujourd'hui, je passe la journée avec ma meilleure amie.

On se retrouve comme si on s'était quittés la veille, on reprend nos habitudes, nos places sur le canapé, nos « tu te rappelles » et nos « grave ».

En fin d'après-midi, on va se promener dans le centre-ville. J'observe Sofiane à la dérobée. Je veux voir s'il regarde les filles de la même manière que ces hommes que je remarque de plus en plus, que je flaire presque comme une proie qui anticipe les dangers. Mais Sofiane me parle en me regardant ou en portant son regard loin devant lui. Il laisse couler ses yeux ici et là, sans regard appuyé, sans attitude équivoque envers qui que ce soit. J'ai hâte de lui présenter Billie.

Le soir, on dîne chez Sofiane, Aïssatou a insisté. Elle m'ouvre ses bras en me voyant arriver et je m'y glisse très rapidement. Elle amorce le geste de me passer la main dans les cheveux mais elle se retient.

– Je suis tellement contente de te voir ! Entre ! Tu vas tout nous raconter !

Maël, le frère de Sofiane, est là lui aussi et vient me saluer. L'air est lourd et chargé de ces orages qui tâtonnent. Maël souffle et enlève son T-shirt. Personne ne dit rien. C'est à peine si on le remarque. Je me demande pourtant ce que ça leur ferait, à tous, si je faisais la même chose. Ilan ne tarde pas à rentrer. Du couloir, il s'exclame :

– Hum, ça sent rudement bon !

Il ôte ses chaussures, sa cravate, passe embrasser Sofiane, Maël, Aïssatou, penchée sur la cuisinière, et me fait une bise aussi.

– Tiens tiens, ça faisait longtemps. Ravi de te revoir, me dit-il avant de s'asseoir dans le fauteuil du salon pour pianoter sur son smartphone.

Dans la cuisine, Aïssatou virevolte du four au réfrigérateur et à la liste de courses accrochée près de la porte et qu'elle est la seule à remplir.

J'ai pris du recul ces dernières semaines. Je constate ce qu'Ilan ne semble pas remarquer. Il ne voit pas qu'Aïssatou doit mener cent vies. Ce n'est pas qu'il ne fait rien, mais c'est elle qui assume tout. Elle est la seule à faire des listes, à penser aux rendez-vous, à se préoccuper de ce qui manque, de ce qui reste, à programmer la machine à laver, réserver les vacances, la seule à savoir où se range l'arnica, où se cache le dernier timbre...

Alors, à la fin du repas, je pose la main sur le bras d'Aïssatou, avant qu'elle ne se lève.

– Laisse, tu n'arrêtes pas depuis tout à l'heure. N'est-ce pas les garçons ?

Sofiane et Maël acquiescent, un peu penauds, et s'activent pour m'aider à débarrasser.

Ilan reste quelques secondes interdit. Est-ce qu'enfin, il va voir ?

Un éclair zèbre le ciel au moment où il quitte sa chaise et cette parfaite synchronie me fait sourire.

Lorsque je traverse la rue, droite et pas peu fière d'avoir contribué à ce petit coup de tonnerre dans la famille de Sofiane, je remarque que ma mère est déjà rentrée. Je m'en étonne.

– Maman, déjà ? Tu devais pas dîner avec ton nouveau collègue ?

– Je devais «boire un verre». C'est ce que j'ai fait. Et j'ai grignoté en rentrant.

– Et ?

– Et je me suis assise dans ce canapé avec un bouquin, comme tu le vois.

– Arrête M'man, je n'ai plus cinq ans…

– Et… il est sympathique. *Vraiment* sympathique. Et *vraiment* intéressant. Et *vraiment* cultivé. Et *vraiment* drôle. Et *vraiment* charmant.

– C'est *vraiment* chouette, M'man.

On rit. Elle a les yeux qui brillent et un sourire flou. Je suis contente pour elle. Toujours le regard dans le vague, elle me lance :

– Oh et je ne suis pas emballée par la nouvelle déco de l'entrée. Je préférais le sol comme avant.

Je jette un coup d'œil et aperçois mon gilet, une chaussette et deux baskets.

– Ce que tu es *old-school*.

– En attendant, c'est encore moi qui paie le loyer de cette maison, tu feras la déco que tu voudras chez toi.

Espiègle, je tente :

– Tu aurais pu les ranger, si ça ne te plaisait pas.

Elle ne dit rien mais se retourne et me scrute avec le même regard de défi que celui de De Niro dans *Taxi Driver* :

– *You talking to me ?*

J'éclate de rire et ramasse mes affaires.

Mon premier vrai cours de boxe ! J'ai les épaules moulues, les tempes humides, des douleurs dans les bras. J'adore. Olga m'entraîne avec Billie, une autre fille et deux garçons qui sont au collège avec moi. On se fait un petit salut timide avant de partir.

– À mardi, alors.

– Eh oui, on y est. À mardi.

Je quitte aussi Billie, mais je sais que je la retrouverai ce soir, sur Whatsapp. Sur le chemin du retour, je marche lentement, le nez en l'air. Ces derniers jours d'août, le soleil a fini de griller les quelques champs verts qui résistaient. À l'horizon, le mauve s'est éteint. Contrairement à Paris, les odeurs d'ici arrivent une par une. Cela faisait longtemps que je n'avais pas pris de plaisir à observer ce paysage familier.

Chez moi, je troque mon sac de sport pour un chapeau de cow-boy acheté dans une friperie à Paris, et je ressors très vite. Sofiane m'attend. On s'est donné rendez-vous au bord de la rivière.

Je l'aperçois assis contre le tronc d'un vieux chêne. Son corps affaissé me surprend. Quelque chose ne tourne pas rond. Je le rejoins, m'installe près de lui, qui ne bouge pas d'un cil.

— Salut Sofiane.

— Jessa m'a quitté.

— Ah.

Il se retourne brusquement, me scrute.

— Tu le savais ? Elle t'a dit quelque chose ?

— Non, c'est juste que je me suis doutée que quelque chose n'allait pas quand je t'ai vu.

Ses traits sont tirés. Il n'a pas dû dormir beaucoup. Je me demande s'il a pleuré.

— Elle m'a dit qu'elle avait passé un bel été, mais que ce n'était pas la peine de continuer, qu'on ne se verrait plus très souvent étant donné que je suis toujours au collège et qu'elle entre au lycée. Qu'elle espère qu'on restera amis et qu'on se verra encore, avec Laure et Julian.

— Super… Euh, c'est sympa.

– Arrête, Agathe. Je ne suis pas tellement d'humeur à rire.

Je le regarde du coin de l'œil. Je sens en effet que je ne vais pas pouvoir utiliser ma redoutable ironie dans les jours à venir. J'ai envie de lui dire que ça se voyait, qu'il était plus amoureux qu'elle. Que Jessa est une chouette fille, mais pas celle qui lui fallait. Et qu'elle a vraiment des amis merdiques. Je me retiens de le secouer, de lui dire que l'important, c'est tout de suite et mon envie de faire du VTT sur le chemin de l'ancien lavoir, de lui rappeler qu'on n'a plus que quatre malheureux jours pour profiter des grasses matinées, des films et de notre amitié avant la troisième. Que ça ne vaut pas le coup d'avoir autant de peine pour cinquante petits jours d'amour. Mais je ne dis rien. Parce que je me souviens qu'on ne contrôle pas ses chagrins.

Je le sens au bord des larmes alors je pose ma main sur son épaule. On reste comme ça, un long moment. Je n'ose pas faire autre chose, l'enlacer ou poser ma tête sur son épaule. Les choses changent, les pudeurs se modifient.

On sait tous les deux qu'il y a des choses plus graves. On sait, pour la misère, la guerre, les maladies qui consument, les accidents inimaginables, les viols, les violences… On sait que Jessa et Sofiane n'ont pas partagé une vie ensemble, que leurs souvenirs tiendront sur deux onglets de Google photos. Mais Sofiane est malheureux et il n'y peut rien. Et moi je ne peux rien faire, si ce n'est comprendre, et attendre avec lui.

— Je suis désolée, Sofiane.

Il renifle.

— Je pense à elle tout le temps.

— Je sais.

— Je vais la rappeler. Je vais lui laisser un message. Enfin, un autre.

— Elle a répondu à ton dernier ?

— Non. Mais elle est peut-être occupée. Elle a peut-être plein de trucs à faire et…

— Et ça lui prendrait trop de secondes de te dire « OK, tout va bien, je suis là, je pense à toi » ?

— J'en sais rien.

— Si, tu sais. Elle ne pense plus à toi. Ou plus comme tu le voudrais.

— Tu n'y vas pas par quatre chemins…

— Parce que je suis ta meilleure amie. Tu mérites mieux que des miettes. Alors non, tu ne vas pas lui laisser encore un autre message, ça n'en vaut pas la peine. Ça fait mal oui, mais ça va aller.

– J'arrive plus à trouver de plaisir à faire les choses.

– Tu vas voir, ça va passer.

– T'en sais quoi, toi ?

– J'ai vu plein de séries.

Sofiane esquisse un sourire.

– T'es bête.

– Oui, mais c'est pour ça que tu m'aimes bien.

– C'est vrai. Agathe, j'ai envie de faire un barrage et des radeaux en roseaux.

– Même pas vrai.

– Non. Mais j'aimerais bien, c'était plus simple à cette époque.

– Tu n'aurais pas plutôt envie de faire un tour de VTT, avec vitesse et bosses ?

– Je sais pas.

Je me lève et le tire par le T-shirt.

– Moi, j'ai envie pour deux ! Alors tu vas lever tes fesses, prendre ton vélo et avaler les kilomètres jusqu'à ne plus te souvenir de son prénom tellement tu auras de courbatures.

Sofiane se lève, se passe une main sur le visage.

– Bon. D'accord. Je te préviens, je vais te semer.

– Dans tes rêves.

La balade nous fait du bien. Le sport, c'est bon quand tu as mal au cœur parce que ça donne à ta douleur un endroit où se nicher. Quand on arrive dans notre rue, ma mère est en train d'ouvrir la porte.

– Eh bien ! Vous êtes dans un bel état !

– Oui M'man, on en avait bien besoin…

À mon regard, elle comprend.

– Oh. Alors c'est que vous avez probablement besoin de crêpes aussi. La douche d'abord et ensuite, on fait des crêpes.

– Ah ? Euh d'accord mais… il ne fait pas un peu chaud pour…

En voyant nos têtes, Sofiane ne termine pas sa phrase et sourit franchement.

– Avec plaisir. Je me dépêche.

Quand je sors de la douche, j'aide ma mère à faire la pâte.

– Ça ne te dérange pas, que j'aie invité Sofiane à un de nos petits rituels ? Je ne t'ai même pas demandé ton avis, je suis désolée…

– Tu parles, ça me fait super plaisir. Pas qu'il se soit fait larguer, mais que tu l'aies invité. Qu'on passe du temps tous les trois. Qu'il voie qu'il n'y a pas que sa mère qui déchire.

Ma mère arrête net ce qu'elle est en train de faire. Je me rends compte que ses yeux luisent. Elle ouvre un peu ses bras, pour m'inviter à un câlin. Je la serre fort, bien plus qu'Aïssatou, mais pas longtemps non plus.

Sofiane dévore nos crêpes avec appétit. Il plaisante même :

– Vivement que je me refasse larguer.

On rit aussi. Ma mère le regarde :

– Sofiane, tu viens manger des crêpes quand tu veux à la maison, râteau ou pas, heureux ou triste, en forme ou épuisé.

Elle le fixe sérieusement, pose sa main sur son bras :

– Je ne te demanderai qu'une seule chose.

Sofiane avale sa bouchée et regarde ma mère avec une surprise mêlée d'appréhension. Grave, il demande :

– Bien sûr. Quoi donc ?

– Tu promets ?

Sofiane hésite, de plus en plus mal à l'aise.

– Je promets.

Je me cache le visage derrière ma serviette. Ma mère lâche après une inspiration mesurée :

– Ne laisse jamais reposer la pâte.

Je m'étire dans mon lit après une mauvaise nuit. Tous les ans c'est pareil, la veille de la rentrée. Ma dernière année de collège. Les vacances sont passées à une vitesse folle mais j'ai pourtant l'impression d'avoir changé, d'avoir vécu mille choses. J'ai promis à Rémi de retourner à Paris, aux prochaines vacances, avec ma mère. Ils se sont parlé au téléphone. C'est encore un peu bizarre, mais ça va venir, j'en suis sûre. Ils vont se retrouver.

Le message de Billie me sort du lit. Sous un *selfie* de tête grimaçante de réveil difficile, je lis :

Bonne rentrée Agathe ! Tellement hâte du débriefe de premier jour ! Et trop envie de te retrouver ! Et de me marrer ! Et j'ai un truc de fou à te raconter ! À ce soir à la boxe !

Cette fille est un soleil. J'envoie une photo ébouriffée, lui réponds, puis file sous la douche, me sèche les cheveux, les coiffe d'un geste de la main. Dans la lucarne humide que j'ai tracée d'un coup de serviette sur la buée du miroir, j'observe mon reflet flou. J'aime bien cette coiffure. Elle me va bien. Les mèches courtes et folles font ressortir mes yeux, et me donne un côté sauvage qui va bien avec ce que je suis, là, au fond. Je me trouve jolie. J'enfile mon jean, ouvre la fenêtre. L'été indien me happe d'une bouffée de vent chaud. J'abandonne mon jean, habituel uniforme de mes jours de collège jusqu'à présent, été comme hiver, et opte pour une robe d'été et une veste légère.

Ma mère m'embrasse, ne fait aucune remarque sur ma tenue.

– Bonne rentrée Agathe. Ce soir, je rentre tôt, et tu me racontes tout.

– D'accord, Maman. Bonne journée.

Lorsque je sors, Sofiane m'attend adossé à son portail. Il se rassure :

– T'as bien coché latin, hein ?

– Bien sûr, comment oublier, ça fait déjà assez mal comme ça.

– C'est le prix de l'amitié.

Sans me regarder, il ajoute :

– Ça te va bien Agathe, tout ça.

– Merci, Sofiane. Nouvelle année, nouveau style !

Sans surprise, nous sommes donc dans la même classe, la 3ᵉ C. Pour les grosses matières, maths, français, Histoire, on joue des coudes comme les autres pour s'installer côte à côte. Au collège, pas de places attitrées et pourtant le choix de ce premier jour est d'une importance capitale. On sait que chacun reprendra la même place, le cours suivant et ainsi de suite jusqu'en juin. C'est tacite et immuable, et gare à celui ou celle qui voudra un jour poser ses fesses sur une chaise qui n'était pas la sienne lors de ce premier cours de septembre. Mais pour les autres matières, on s'est mis d'accord, avec Sofiane : on laisse la cohue se faire et on va occuper les places libres, chacun de son côté. On s'accorde un brin de hasard, trois rangs de liberté, presque une excentricité. En sciences, je repère une place libre, deuxième rang, allée gauche. Mon voisin, Théo, me salue timidement, puis ses yeux coulent sur mes jambes. Je me demande avec angoisse si c'est parce que ma jupe est trop courte ou parce que je ne m'épile pas encore. Il s'exclame :

– T'as vu, on a les mêmes baskets. Très bon goût.

À mon tour, je regarde sous la table : il bouge en cadence ses Converse rouges.

– Ah oui. Excellent choix.

Théo sort un cahier et la couverture brillante craque à la première ouverture.

– J'adore ce bruit familier de la nouveauté, pas toi ?

– Carrément d'accord.

Dans la collection

Mauvaise connexion
Jo Witek

Julie, quatorze ans, rêve de mannequinat et attend le grand amour. Elle pense l'avoir trouvé lorsqu'elle entre en contact avec Laurent sur Internet. Il lui promet de l'aider à se constituer un book photos et la convainc de poser pour lui devant la webcam.

Prix Ligue de l'enseignement 2013
Prix Ados en colère 2014
Prix littéraire des collèges du Territoire de Belfort 2014

Qui aime bien
Isabelle Vouin

Aujourd'hui, Valentine a giflé sa mère et rien ne pourra plus être comme avant.

Sur le chemin vers le cirque où elle s'apprête à endosser le costume de Colombine, Valentine repense à son enfance, aux coups qu'elle a reçus de sa mère au motif que « Qui aime bien, châtie bien », aux autres enfants devant lesquels elle fait semblant d'aller bien, aux kilos de bonbons avalés pour trouver de la douceur.

Grosse folie
Raphaële Frier

En vacances au bord de la mer avec leur famille, Chloé, jeune fille en surpoids, et Quentin, adolescent renfermé, se rencontrent sur la plage. Jour après jour, les deux ados s'apprivoisent et nouent une relation amoureuse sincère, jusqu'au moment où Olivier, le grand frère de Quentin, les surprend.

La porte
de la salle de bain
Sandrine Beau

Ce matin, Mia pourrait le jurer, ses seins ont commencé à pousser. La joie qu'elle éprouve devant sa métamorphose ne dure pas : le regard des autres change, en particulier celui de son beau-père qui prend l'habitude de franchir la porte de la salle de bain lorsqu'elle se douche.

Sélection Prix Gayant Lecture 2016

L'instant de la fracture

Antoine Dole

Il a presque vingt ans. Il vit loin.
Loin de sa famille, loin de lui.
Mais il revient parfois : les repas
de famille, Noël, il ne peut pas
y échapper… Alors, en silence, il assiste à son show :
celui du père parfait, celui qui ne rentre pas dans la
chambre de son petit garçon, la nuit, pour le forcer à
faire ce qu'aucun enfant ne devrait être obligé de faire
avec quiconque, encore moins avec son père.

Prix Danielle Grondein 2019

La première fois
Agnès de Lestrade

Rose a quatorze ans, des yeux couleur myrtille et le cœur tendre. Mais surtout, Rose a peur d'être enceinte car il y a eu Paolo.

C'était pas gagné avec Paolo au départ, mais la première fois que leurs regards se sont croisés, la foudre est tombée sur Rose et, quand il lui a pris la main pour la première fois, elle a cru défaillir, avant de se rendre compte que le garçon dormait profondément. Eh oui, Paolo est somnambule...

La carotte et le bâton

Delphine Pessin

Émilie fait sa rentrée de troisième dans un nouveau collège, dans la même classe que son amie Cloé.

Très vite, la jeune fille devient la cible préférée de Barbara, la « star » du collège, et de toute sa bande. Ils l'insultent au motif qu'elle est rousse, s'amusent à lui jeter de la nourriture et vont jusqu'à la blesser physiquement.

Achevé d'imprimer à Pribam, en République tchèque, par PBtisk.